Point of Honour

Maria Teresa Horta – one of the most revered writers of modern Portugal – was born in 1937 and began writing before the revolution that deposed the brutal Estado Novo regime; her early work was banned for being 'an outrage to public morals'. One of 'The Three Marias' who in 1971 co-authored the ground-breaking *Novas Cartas Portuguesas* (New Portuguese Letters), Horta has continued to publish novels, short stories and journalism, although she considers herself a poet above all.

Lesley Saunders, herself a much-published poet, won the Stephen Spender Trust open award for poetry in translation in 2016 with her version of Horta's 'Poema'. The judges said that Saunders' 'standout' entries were 'rendered in free, subtle, intriguing, versions which emphatically worked as poems in English'; '"Poema" is a meta-poem, featuring a kind of "thought fox" for a feminine poet, part muse part dangerously seductive animus. The translation sure-footedly follows the sinuous twists and turns, approaches and returns of the original'.

Other books by Lesley Saunders

The Dark Larder, Corridor Press (1997)
Christina the Astonishing with Jane Draycott & Peter Hay, Two Rivers Press (1998)
Her Leafy Eye with Geoff Carr, Two Rivers Press (2009)
No Doves, Mulfran Press (2010)
Cloud Camera, Two Rivers Press (2012)
The Walls Have Angels, Mulfran Press (2014)
Periplous: the Twelve Voyages of Pytheas, Shearsman Books (2016)
Angels on Horseback, smith|doorstop (2017)
Nominy-Dominy, Two Rivers Press (2018)

Also by Two Rivers Poets

David Attwooll, *The Sound Ladder* (2015)
Kate Behrens, *The Beholder* (2012)
Kate Behrens, *Man with Bombe Alaska* (2016)
Kate Behrens, *Penumbra* (2019)
Adrian Blamires & Peter Robinson (eds.), *The Arts of Peace* (2014)
David Cooke, *A Murmuration* (2015)
Terry Cree, *Fruit* (2014)
Claire Dyer, *Eleven Rooms* (2013)
Claire Dyer, *Interference Effects* (2016)
John Froy, *Sandpaper & Seahorses* (2018)
A. F. Harrold, *The Point of Inconvenience* (2013)
Ian House, *Nothing's Lost* (2014)
Gill Learner, *Chill Factor* (2016)
Sue Leigh, *Chosen Hill* (2018)
Becci Louise, *Octopus Medicine* (2017)
Mairi MacInnes, *Amazing Memories of Childhood, etc.* (2016)
Steven Matthews, *On Magnetism* (2017)
Henri Michaux, *Storms under the Skin* translated by Jane Draycott (2017)
Tom Phillips, *Recreation Ground* (2012)
John Pilling & Peter Robinson (eds.), *The Rilke of Ruth Speirs:*
   New Poems, Duino Elegies, Sonnets to Orpheus & Others (2015)
Peter Robinson (ed.), *A Mutual Friend: Poems for Charles Dickens* (2012)
Peter Robinson, *Foreigners, Drunks and Babies: Eleven Stories* (2013)
Jack Thacker, *Handling* (2018)
Susan Utting, *Fair's Fair* (2012)
Susan Utting, *Half the Human Race* (2017)
Jean Watkins, *Scrimshaw* (2013)
Jean Watkins, *Precarious Lives* (2018)

Point of Honour

Selected Poems of **Maria Teresa Horta**

*translated into English by **Lesley Saunders**
with an introduction by **Ana Raquel Fernandes***

TWO
RIVERS
PRESS

First published in the UK in 2019 by Two Rivers Press
7 Denmark Road, Reading RG1 5PA.
www.tworiverspress.com

Permission to publish these translations has been granted
by The Portuguese Society of Authors, Lisbon, Portugal.

The following publications are the sources of the original Portuguese
works translated herein:

Poesia Reunida (*Collected Poems*), Dom Quixote (2009)
Poemas do Brasil (*Poems from Brazil*), Brasiliense Editora (2009)
Poemas para Leonor (*Poems for Leonor*), Dom Quixote (2012)
A Dama e o Unicórnio (*The Lady and the Unicorn*), Dom Quixote (2013)
Anunciações (*Annunciations*), Dom Quixote (2016)
Poesis 2017 (*Poesis*), Dom Quixote (2017)
Estranhezas 2018 (*Oddities*), Dom Quixote (2018)

ISBN 978-1-909747-47-0

1 2 3 4 5 6 7 8 9

Two Rivers Press is represented in the UK by Inpress Ltd
and distributed by NBNi.

Cover image by Francisco Simões and designed by Sally Castle
Text design by Nadja Guggi and typeset in Janson and Parisine

Printed and bound in Great Britain by Imprint Digital, Exeter

Epigraph

Canto Eterno (*poema inédito*)

Pudesse eu transformer-me no meu verso
No poema matar a rola incerta
Impondo no meu peito o veio alquímico,

E a fuga de Eurídice em canto eterno.

A fazer ninho dentro do vulcão
Onde a escrita habita no seu esteio
Num luzente confronto secular
De entrega à claridade e devaneio.

Forever Song (*unpublished poem*)

Would that I could change myself into my verse
Into a poem to kill the inconstant dove
And inject an alchemy into my bloodstream,

So that Eurydice's flight becomes forever song.

To create a shelter inside the volcano
Where writing can live in its right estate
In a golden age-old engagement
Self-perfecting in clarity and day-dream.

Consultants to the Project

Ana Raquel Fernandes, Full Researcher at the University of Lisbon Centre for English Studies, is an expert in comparative modern literature and has led several research projects in collaboration with colleagues at English universities. In the course of her long-term engagement with Horta's work, Fernandes has published several journal articles and book chapters on different aspects of this unique and important writer's corpus.

Luís Barros has been married to Maria Teresa Horta since 1965. He was President of the Portuguese Journalists Union from 1971 to 1974, after which he was appointed Under-Secretary of State for media issues in the second and third Provisional Governments after the April Revolution. He was Director of *Diário de Notícias*, the most influential daily newspaper in Portugal, and held executive posts in other newspapers and magazines. Nowadays he devotes himself to translation.

Acknowledgements

We are particularly grateful to Francisco Simões, Portuguese sculptor and artist, who has generously provided an image from his art book *Anjas do Nosso Mundo* (*She-angels of Our World*) for the book's cover. Simões' work includes ten marble sculptures and panels entitled 'Mulheres de Lisboa' ('Women of Lisbon') at Campo Pequeno in the Lisbon underground; the busts of two well-known artists, Helena Vieira da Silva and Árpád Szenes, also in the Lisbon underground at Rato; and sculptures at the urban park, Parque dos Poetas (Poets' Park) in Oeiras, Lisbon. Simões is also known as an illustrator. The *Anjas do Nosso Mundo* series evinces the beauty and delicacy of both his drawing and painting.

We acknowledge with gratitude the contribution of *Publicações* Dom Quixote/LEYA, the Portuguese publisher of Maria Teresa Horta's books of poetry.

Thanks are also due to the Stephen Spender Trust and *The Guardian* newspaper, and to the editors of *Magma*, *Modern Poetry in Translation* and *Poem Special Issue*, where some of the English translations first appeared.

Finally, we would like to extend our thanks and appreciation for their personal support, advice and encouragement to Rhian Atkin, Patricia Odber de Baubeta, Tom Earle, David Frier and Claire Williams; and last but not least to Peter Robinson, for his faith in this project as well as his editorial support.

Selected Poems

from *Espelho Inicial* 1960 (*First Mirror*)
 Mãe / Mother
 Espelho Inicial / First Mirror

from *Tatuagem 'Poesia 61'* 1961 (*Tattoo*)
 Outubro / October
 Poema de Insubordinação / Poem of Insubordination

from *Cidadelas Submersas* 1961 (*Submerged Citadels*)
 Nuamente Tempo / Time for Disclosure

from *Verão Coincidente* 1962 (*Coincidental Summer*)
 Invenção / Invention
 Invocação ao Amor / Invocation to Love
 Totalidade / My All

from *Amor Habitado* 1963 (*Love Inhabited*)
 Saudade / Saudade
 Palavras / Words
 Jamais / Never
 Regozijo / Rejoicing

from *Candelabro* 1964 (*Candelabra*)
 Os Teus Olhos / Your Eyes
 Oponho / I Oppose
 Tu / You

from *Jardim de Inverno* 1966 (*Winter Garden*)
 Crepúsculo / Dusk
 Delírio / Delirium
 Penumbra / Twilight Zone

from *Cronista Não é Recado* 1967 (*The Messenger is not the Message*)
 Pequenos Dizeres sobre a Mulher / A Few Sayings about Women
 Primeiro Cantar sobre a Índia / A First Song about India
 Dizeres sobre o Medo / Sayings about Fear

from *Minha Senhora de Mim* 1971 (*Milady of Me*)
 Dama Vestida de Mim / Lady Dressed as Myself
 Poema de Amor / Love Poem
 Segredo / Secret
 Entre Nós e o Tempo / Between Us and Time
 Minha Senhora de Mim / Milady of Me

from *Educação Sentimental* 1975 (*Sentimental Education*)
    A Boca do Corpo / The Body's Mouth
    A Língua / The Tongue
    O Corpo / The Body
    Modo de Amar / The Way to Love

from *Mulheres de Abril* 1977 (*Women of April*)
    Quem? / Who?
    Cantar de Uma Mulher Assassinada Enquanto Dormia /
    Song for a Woman Murdered While She Slept
    Catarina Eufémia / Catarina Eufémia

from *Os Anjos* 1983 (*The Angels*)
    Exertos de Os Anjos / Excerpts from The Angels

from *Minha Mãe Meu Amor* 1984 (*My Mother My Love*)
    Exertos de Minha Mãe Meu Amor / Excerpts from My Mother My Love

from *Rosa Sangrenta* 1987 (*Rose that Bleeds*)
    Exertos de Rosa Sangrenta / Excerpts from Rose that Bleeds

from *Destino* 1997 (Fate)
    Quem são as mães dos poetas? / Who are the poets' mothers?
    Destino / Fate
    De Amor / On Love
    Morrer de Amor / Dying of Love
    Limites / Limits

from *Só de Amor* 1999 (*Just for Love*)
    Fulgor / Ablaze
    Vertigem / Giddy
    Joelho / Knee
    Referência / Reference Point
    Incêndio / On Fire

from *Inquietude* 2006 (*Disquiet*)
    Auto-Retrato / Self-Portrait
    Ponto de Honra / Point of Honour
    Português / Portuguese
    Poema / Poem

from *Feiticeiras* 2006 (*Witches*)
    Canto da Ressurreição / Song of the Resurrection
    Ária da Feiticeira / The Witch's Aria
    Feitiço / Hex

from *Poemas do Brasil* 2009 (*Poems from Brazil*)
    Mata Atlântica / Atlantic Forest
    Faces do Poema em Ubatuba / Faces of the Poem in Ubatuba

from *Poemas para Leonor* 2012 (*Poems for Leonor*)
    Gerações Femininas / Generations of Women
    Trabalho Poético / The Poet's Task
    Poesia / Poetry

from *A Dama e o Unicórnio* 2013 (*The Lady and the Unicorn*)
    Desejo / Desire
    A Espera / Expectancy
    A Mão / The Hand
    Delito / Trespass

from *Anunciações* 2016 (*Annunciations*)
    Maria / Mary
    Gabriel / Gabriel
    Dança / Dance
    A Diferença / The Difference
    Condição Humana / The Human Condition

from *Poesis* 2017 (*Poesis*)
    O Voo da Linguagem / The Flight of Language
    No Rasto do Tempo / On the Track of Time
    Caçadora / Huntress

from *Estranhezas* 2018 (*Oddities*)
    Um Recomeço Sem Fim / Beginning Without End
    Vitória de Samotrácia / The Victory of Samothrace
    A Bela e o Monstro / Beauty and the Beast
    Se Fosse Shakespeare / If I Were Shakespeare

Introduction

'And I sat down on the steps of marble weeping at beauty':
Maria Teresa Horta's poetic imagination

The present anthology celebrates sixty years of the poetic work
by a superlative contemporary Portuguese poet, Maria Teresa Horta.
It stands as a landmark since it is the first ever published English-
language anthology of Horta's poetry. In addition, it is unique because
every single poem was selected by the author herself together with
her life-long companion, Luís Barros.

Horta is nowadays an undisputed leading light in contemporary
Portuguese literature, acclaimed as an author, literary critic,
journalist and activist/feminist. Worldwide she is well known for her
collaborative work entitled *Novas Cartas Portuguesas* (*New Portuguese
Letters*) written with Maria Isabel Barreno and Maria Velho da Costa
and published in 1972 during the fascist Estado Novo regime. The
work of The Three Marias, deemed as an outrage to public morals
and eventually banned, was reclaimed after the collapse of the regime
in 1974 and has been praised for its cultural and literary value
ever since.

Maria Teresa Horta regards herself first and foremost as a poet and
indeed the author has published a myriad of poetical works. Although
Horta's poetry ought to be understood as a great continuum, one
can identify two major periods in her literary path: pre- and post-1974.
Her career was launched in 1960 with the publication of *Espelho Inicial*
(*First Mirror*), which is represented in the anthology by two poems,
'Mother' and the eponymous 'First Mirror'. The choice is significant
and 'First Mirror' is undoubtedly the first of many poems that will
tackle the theme of women's representation. The poem refers to
subjects such as women, depicted as female water-spirits ('ondinas'),
as well as desire, and uses the free verse and irregular rhyme that
recur throughout the author's long literary career.

The sixties witnessed the author's collaboration with the Poesia
61 (Poetry 61) group and it was in this context that Horta wrote
Tatuagem (*Tattoo*, 1961). The poem entitled 'Poem of Insubordination'
foreshadows her defiance as a poet in search of a brand new language

and an original way of defying literary as well as social convention. A number of collections followed, attesting to the author's creativity throughout the decade: *Cidadelas Submersas* (*Submerged Citadels*, 1961); *Verão Coincidente* (*Coincidental Summer*, 1962); *Amor Habitado* (*Love Inhabited*, 1963), whose poem 'Saudade' is representative of a particular way of expressing love and desire; *Candelabro* (*Candelabra*, 1964), which is the first collection entirely dedicated to her lover Luís, showing additionally surrealist traces in the wake of well-known Portuguese poets such as Alexandre O'Neill and Natália Correia; *Jardim de Inverno* (*Winter Garden*, 1966) and *Cronista não é Recado* (*The Messenger is not the Message*, 1967), altogether a political book, commenting on women's role in Portuguese society, the legacy of history, and the environment of fear lived under the dictatorship, as the titles evince: 'A Few Sayings about Women', 'A First Song about India' and 'Sayings about Fear'.

Nevertheless, it was *Minha Senhora de Mim* (*Milady of Me*) that constituted the first milestone in Maria Teresa Horta's literary career. The book was published by Dom Quixote on 3 April 1971 and seized by the PIDE/DGS – Polícia Internacional e de Defesa do Estado/ Direcção Geral de Segurança (International and State Defence Police/ Directorate-General of Security) on 3 June of the same year. Snu Abecassis, the owner of the publishing company, was warned that it would be closed down if it published any more of the poet's works. In *Minha Senhora de Mim*, the poet challenges the normative discourse of the body established by the fascist regime known from 1968 onwards as the 'Primavera Marcelista':[1] The whole collection is an outcry for freedom and breaking of boundaries. Indeed, even nowadays the reader shivers when reading the poem 'Secret'. Furthermore, the collection pays homage to the legacy of troubadour poetry – in particular, to the 'cantigas de amigo', compositions typical of Galician-Portuguese poetry in mediaeval times. Moreover, the title is a parody of Francisco Sá de Miranda's well-known poem 'Comigo me Desavim' ('I am estranged from myself') from the 16th century.

---

1 Salazar was succeeded by Marcelo Caetano, whose term of office as prime minister was known as the Marcelist Spring because people had hoped for some relaxation of the authoritarian rule that characterised the Estado Novo (New State) under Salazar.

After the Carnation Revolution, Horta continued her activism as a writer – *Educação Sentimental* (*Sentimental Education*, 1975) is a treaty on the emancipation of language and the erotic body alike – and as a politically committed poet. She became one of the leading figures of second-wave feminism in Portugal. Together with Maria Isabel Barreno, she was one of the founding members of the MLM – Movimento de Libertação das Mulheres (Women's Liberation Movement) – in 1974, sparking an inquiry into the mechanisms employed by patriarchal society to oppress women and aiming at transforming social relations. It was in this context that *Mulheres de Abril* (*Women of April*, 1977) was published.

From the eighties onwards, Horta yields to the pleasure of the word, the uncovering of new ways of understanding reality and language. Hence the excerpts from *Os Anjos* (*The Angels*, 1983), depicted as beautiful yet simultaneously ambiguous creatures, both ethereal and earthly; *Minha Mãe Meu Amor* (*My Mother My Love*, 1984), reclaiming the mother topos present from the very beginning of Horta's poetic work;[2] *Rosa Sangrenta* (*Rose that Bleeds*, 1987), a collection celebrating womanhood; *Destino* (*Fate*, 1997) and *Só de Amor* (*Just for Love*, 1999).

In 2006, the author published *Inquietude* (*Disquiet*), whose poem 'Point of Honour' gives the title to the present anthology. Previously published in *Poem: International English Language Quarterly* (Routledge, 2017), in a special issue on Women on Brexit, and marvellously translated by Lesley Saunders, it is undoubtedly a poem that epitomises the author's poetic imagination, each stanza (1–5) defying conventions and breaking boundaries: 'I disquiet the wildest feelings'/ (...) 'I mislay my boundaries'/ (...) 'I stand in the way of my fate'/ (...) [I] block my ears to what they tell me/ (...) 'I flout their rules of delusion'. Towards the end (stanzas 6–7) the poetic 'I' reveals her limitless nature: 'I am witch/ I am sorceress/ I am poetess and unloosed/ I write/ and spit on the blaze' (5: 2–3). Strong words that defy the *status quo* and that led Saunders to select the title as

---

2   Maria Teresa returned to this theme in her anthology and reflection, *A Mãe na Literatura Portuguesa* (The Mother in Portuguese Literature, 1999).

the name of the anthology. Indeed, in the times of uncertainty lived nowadays, in particular in Britain and in Europe, and likewise felt worldwide, Horta's poetry invites us to think about ways of resisting oppression and silencing.

Two major projects followed, *Feiticeiras* (*Witches*, 2006) and *A Dama e o Unicórnio* (*The Lady and the Unicorn*, 2013), both collaborative projects that stand at the crossroads with other forms of artistic expression, particularly music and painting. In between, there are *Poemas do Brasil* (*Poems from Brazil*, 2009), which are a heartfelt homage to Brazil; and *Poemas para Leonor* (*Poems for Leonor*, 2012), linked to the novel Maria Teresa Horta published in 2011, *As Luzes de Leonor* (*The Lights of Leonor*), for which the author won both the Prix D. Diniz, Fundação Casa de Mateus, and the Máxima Literature Prize.

The most recent poetry collections by Horta are the pinnacle of her poetic career. They combine and perfect themes, style and the subversive language and non-conventional tone that has characterised her poetic oeuvre throughout her life. *Anunciações* (*Annunciations*, 2016), a hymn to Mary; *Poesis* (*Poesis*, 2017), a homage to the creative act, to poetry and to women poets since antiquity; and *Estranhezas* (*Oddities*, 2018) keep astounding the reader with their simultaneous strength and exquisiteness.

The present anthology is the culmination of a project born of a genuine devotion to poetry. Poetry brought us all together in the beginning, then true friendship and generosity of spirit on the part of Teresa, Lesley and Luís brought this Portuguese barque to safe harbour. Indeed, numerous friends and family members are owed our gratitude since, as in all projects, it is the people who believe in them who make them great. But poetry is to be read and brought to life in the reader's imagination, challenging, disconcerting, and delighting. May the readers of these verses revel in the beauty of Maria Teresa Horta's poetry and Lesley Saunders' translations.

Ana Raquel Fernandes
Lisbon, October 2018

Translator's note

There are many approaches to, and modes of, translation, and many theories about translation; this book is one instance of the practice of translation, of the act of 'bringing across' – one that is generally understood to be both impossible and indispensable.

My first encounter with Maria Teresa Horta's work was to read, when I was a young woman, the revolutionary *New Portuguese Letters*, translated into English in 1975 for the anglophone feminist market. Without exaggeration I can say that that book changed my life, and the torch I carried for her has stayed alight for forty years. So when, as a much older woman, I decided to try my hand at translating one or two of her poems, I felt I wanted to meet her. The network of connections that the internet makes possible resulted, via email contact first with Thomas Earle and then with Patricia Odber de Baubeta, in Ana Raquel Fernandes organising a *rendezvous* in the famous Café Namur in Lisbon. (The French word is relevant here because French was the language Teresa and I shared!) Teresa graciously acceded to my request to make translations of her poems, and the idea of an entire book grew quickly soon afterwards at the encouragement of Peter Robinson, editor of Two Rivers Press.

It has been a rare privilege to work directly with Teresa, who has been the most patient and encouraging collaborator, whether in explaining the personal or political background to particular poems or engaging in lengthy discussions about the idiomatic meaning of individual words and phrases. I am also indebted to Ana Raquel, who brought her warmth, as well as her scholarly knowledge of both Portuguese and English contemporary literature, to facilitate and deepen these discussions; and to Luís Barros, Teresa's beloved companion, who acted as a wonderful critical friend and consultant. So I have every confidence that these translations are as semantically close to the originals as they can be. Yet of course semantic fidelity is not the only criterion by which translations should be judged. I was acutely conscious of the responsibility to try to make poems which would be good in their own right.

So, what *does* constitute a 'good' poem-in-translation? Part of the answer lies in expanding the notion of 'semantic fidelity' in recognition of the fact that words – at least in poetry – do not have a single denotative definition but sit within a capacious semantic field. A word is a 'knot of consensually agreed aspects and connotations', as Don Paterson puts it (Paterson 2018). English is especially rich in synonyms – each, however, with its own 'immediate circle of strong aspects, relations and associations… [its own] connotative blur' (Paterson again). So translators have to ask of the foreign word, 'what are all the shades of meaning that colour this word in its general and specific contexts?' rather than resting content with its dictionary definition, and then do the same for all possible English equivalents.

The challenge in Teresa's case is that she is an elliptical, allusive and uncompromising writer, with a strong vision of her own work – it is powerful, political, erotically charged, almost visionary. Readers want to hear that original voice insofar as it is possible, especially as very little of her work has come over into English, and consequently I believe it was my responsibility to translate her poetry as directly as possible, whilst not ending up with literal paraphrases which serve mainly to point readers to something that is not quite there. It has been a fine balance to find. (I talk about this tension in *Asymptote* (Saunders 2017).)

Furthermore, the other half of the answer to 'what makes a good poem-in-translation?' must be its 'music' – the sense that comes from, as a result of, the sound of the words. Portuguese has the morphology characteristic of Romance languages, with vocalic word-endings that arise from relatively regular inflections and other grammatical structures. These have created a naturally generous facility for melodic and variegated rhyming. On the other hand, the spoken language, being strongly elided (as well as having many nasalised vowels and fricative sibilants), has a softer, more muted acoustic than other Romance languages: what the eye sees is not the same as what the ear hears. English obviously makes a very different kind of music, visually and aurally. What a translator does with this difference must be a matter of taste, the outcome of tireless experimentation and critical reflection, of instinct and conscious technique. I chose to represent Teresa's mellifluous and myriad end-rhymes, mid-rhymes and half-rhymes, her stresses and pauses, with sound-and-shape patterns that seemed to me to work in English, rather than attempting the fruitless task of reproducing the original cadence and metric. I could not avoid the fact that, in Paul Muldoon's words (quoted in Johnston 2016), 'the poem is inevitably becoming a different thing as it goes from one language into another'.

People often ask me if I speak Portuguese. My response to the other (implied) part of this query is that I believed making a good poem-in-translation would depend much more on my experience as a poet and editor than on my (limited) expertise as a linguist. In some ways it helped that Teresa's poetic – dynamic compression, parataxis, declamation, the location of white spaces/silence – is quite different from mine, so I was not tempted to turn her poetry into something I might have written. But this difference of sensibility was also a huge challenge, in conserving, or finding, the right degree of 'strangeness' in conveying the poems in(to) English. Ultimately, because of the help I received from Teresa, Ana Raquel and Luís, I hope and believe that the residual 'foreignness' in these English versions is a true reflection of something essential in the original, an intensity of sensual imagination and a forceful, often rapturous, use of imagery that do not surrender themselves easily to prose explication. I hope and trust that readers will therefore be able to assent to the poems' compelling inner logic, recognising them as extraordinary works that have been 'brought across', though not in any way tamed.

Lesley Saunders
Slough, September 2018

References

Barreno, M. I., Horta, M. T. and Velho da Costa, M. (The Three Marias) (1975). *New Portuguese Letters*. Tr. Helen R. Lane. New York: Doubleday.

Johnston, M. '"Other modes of being": Nuala Ní Dhomhnaill, Paul Muldoon, and translation'. In: Robinson, P. (ed.) (2016). *The Oxford Handbook of Contemporary British and Irish Poetry*. Oxford: Oxford University Press.

Paterson, D. (2018). *The Poem: Lyric, Sign, Metre*. London: Faber.

Saunders, L. (2017). Interview in *Asymptote* online journal: https://www.asymptotejournal.com/blog/2017/05/31/in-conversation-lesley-saunders-on-translation-poetic-collaboration-and-creating-new-writing-with-refugees

Selected Poems

Mãe

(from *Espelho Inicial* 1960)

Mãe
terminou o tempo
de sorrir
desculpa-me a morte
das plantas

tatuei a tua antiga
imagem loura
em todos os pulsos
que anjos inclinam
de existires

perdi-me noite na planície
branca
sobrevivente das madrugadas
da memória

trocaram-me os dias
e as ruas de ancas
verticais
e nas minhas mãos incompletas
trouxe-te
um naufrágio
de flores cansadas
e o único jardim de amor
que cultivei
de navios ancorados
ao espaço

Mother

Mother
it's done
the time of smiling
pardon me for killing
the plants

I imprinted your ageing
fading image
on all the pulse-points
of existence
to which the angels kneel

I was lost at night on the bleached
plain
survivor of the dawnings
of memory

the days altered me
and the streets of upright
haunches
and in my unfinished hands
I brought you
a shipwreck
of worn-out flowers
and the one and only garden of love
that I grew
from ships anchored
in space

Espelho Inicial

(from *Espelho Inicial* 1960)

espelho inicial
no pensamento
das ondinas
em revolta loura
sobre o sol
esquecido no centro
dum lago

harpas de vertigem

ainda o arbusto
tatuado no vento
só o ciúme nos lábios
duma estrela louca
semeada dentro do orgulho
da seara arrepiada

nunca mais
o cais
na bruma oscilante

apenas o encontro
dum anjo
na noite principal

First Mirror

first mirror
in the mind's-eye
of wavelets
in pale revolt
beyond the sun
sequestered in the centre
of a lake

harps of vertigo

the tree even now
tattooed on the wind
only envy on the lips
of a wild starlight
scattered through the vainglory
of a trembling cornfield

never again
the jetty
in flickering mist

only the encounter
with an angel
in the sovereign night

Outubro

(from *Tatuagem 'Poesia 61'* 1961)

Estas noites de mar
incrustadas
de luz

ou estes olhos
de pólos
distanciados no nada

Este ódio de chuva
este dia
montanha

Esta arma de boca
ou tempo encontrado
com relógios na montra

Este ardor de palavras
no perfil
das bocas

Este grito que
tenho
nas mãos misturados

Ou mãos misturadas
que tenho de outubro
no sabor picante sentido nas casas

October

These nights of sea
encrusted
with light

or these eyes
of the poles
set apart in nothingness

This hatred of rain
this mountain
of day

This vocal bombshell
or time discovered
by clocks in shop-windows

This fervour of words
in the configuration
of mouths

This cry
I hold
in my tightly-clasped hands

Or the tightly-clasped hands
with which I hold October
in the spicy aromas wafting through homes

Poema de Insubordinação

(from *Tatuagem, 'Poesia 61'* 1961)

Preto
sem submissão
palavra de relevo agudo nas ruas

Preto
de água   de vento de pássaro
de pénis

De agudamente preto
de demasiado
como um cardo submerso de som

Preto de saliva
na ogiva
dos lábios

Objectos solares
quentes   interiores
marítimos

Curvos
inseguros
Preto

O tempo dos desertos
facetados
na boca

Lento

Por dentro das pedras
a supurar
de luz

Preto

Poem of Insubordination

Black
without submission
word of keen urgency in the streets

Black
of water   of wind   of sparrow
of penis

Of sharply black
of exorbitance
like a drowned burr of sound

Black of saliva
in the curved arch
of the lips

Solar objects
torrid   inward
sea-faring

Bowed
unsafe
Black

The time of deserts
multi-faceted
in the mouth

Slow

Within the stones
festering
light

Black

de túlipa
de arcanjo   de pescador

De tão pouca vontade
de horizonte   de pétala
de totalmente
Preto

Veias sem arestas
de areia
na garganta

Sem gomos
de vidro
nos olhos

Sem pedaços
de sons
paralelos

Preto

Em perpendicular
aos ombros
das janelas

Jamais sinónimo
de noite e nunca mole
em diagonal aos dedos

Dedos habitados pelo útero
dedos rasgados onde o
Preto começa

Húmido
latejante
intumescido   branco

Preto

of tulip
of archangel   of fisherman

Of too little goodwill
of the horizon   of a petal
of utterly
Black

Veins without ridges
of sand
in the throat

Without buds
of glass
in the eyes

Without shards
of collateral
sounds

Black

At right-angles
to the elbows
of windows

Never synonymous
with night and not ever soft
at a tangent to the fingers

Fingers inhabited by the womb
fingers torn where the
Black begins

Moist
pulsating
swollen   white

Black

Somente numa praça
a vagina
da erva

Da ironia   da viagem
do espelho
do cuidado   do perder

Exacto

Do inverno
sem seios
sem sombra

Preto

De regresso na terra
de flores
deitadas

A caminhar
de grades nos jardins
de goivos

Gaivotas coladas
de dorso
às nuvens

Preto

Como uma canoa
como parcialmente
morto

Sinónimo de hálito
de lago   de nós
de glicínia   de peixe   de lagoa

Only in a plaza
the vagina
of grass

Of irony   of flight
of mirror
of care   of loss

Precise

Of winter
without breasts
without shadow

Black

Of the return to land
of battered
flowers

To walk
in the prison gardens
of wallflowers

Seagulls glued
on the backs
of clouds

Black

Like a canoe
like being a little bit
dead

Synonym of breath
of lake   of us
of wisteria   of fish   of lagoon

Rouco
magnânimo cinzelado
saudoso

Preto

de apertar
na mão
e introduzir no sexo

Monge de sedução
a deslizar nos olhos
monge

De planície
de pranto
de perante o dia

Preto

Anca demasiada
na lâmpada
de ciúme

Preto
oceano
Preto clínico

Preto

Missão
de apenas
a sensação no vácuo

Apenas o desequilíbrio
dos cornos das cidades
dos cornos rosados dos gladíolos abertos

Sore-throated
big-hearted   chiselled
homesick

Black

of pressing
into the hand
and inserting it into the sex

holy man of seduction
gliding into the eyes
holy man

Of lowlands
of lamenting
of the time before day

Black

Immoderate haunch
in the bright light
of jealousy

Black
brine
Medicinal black

Black

Mission
of merely
an impression in the void

Merely the instability
of the cities' horns
of the rosy horns of open misty

Nebulosos
Preto
à maneira da infância
e da neve

Nunca trevas
unidas
à angústia

Nunca o peso
quebrado
dos crepúsculos cinzentos

Preto
de liberdade nos rios
de liberdade no povo

De liberdade nas manhãs
imóveis
sem cintura

Unido
urgente
inenarrável

Repetido

Nos sarcófagos
nas árvores nas serpentes
no impossível

Preto de petrificar
nos pântanos
de acrescentar nos templos

Longe

Toda uma caverna de distância
de fascínio
de florescer

gladioli
Black
in the manner of childhood
in the manner of snow

Never darkness
wedded
to anguish

Never the fractured
heaviness
of grey twilight

Black
of freedom in rivers
of freedom in the people

Of freedom in the mornings
without movement
or girdle

Merged
urgent
untellable

Repeated

In the sarcophagi
in trees   in snakes
in the impossible

Black of turning to stone
in the swamps
of rising up in the temples

Far away

An entire cave of distance
of fascination
of blossoming

Incenso

Como um coral
ao acaso
sem porta

Preto

Como um insecto
um vitral
uma cave

Uma língua

Preto

De sabor
de sal
de punhos na lua

Ultrapassado
extremo
ruptura

Vertical em verde
na espuma

Retido

Totalmente aberto
rebentado
nas gengivas dos frutos

Preto
Totalmente suspenso
de membros
nos rochedos

Incense

Like a chorus
at random
without a door

Black

Like an insect
a pane of stained glass
a cellar

A tongue

Black

Of savour
of salt
of fists in the moon

Out of date
uttermost
rupture

Upright in the green
in the spume

Withheld

Totally open
exploded
in the sores of the fruits

Black
Total suspension
of the limbs
on the rocks

De grito
de rosto   de barcos
de flechas

Uma espada

Uma fonte
um prédio
um minério

De através de memória
uma ave   um gato
uma pirâmide

Preto
demasiadamente um hábito
demasiadamente pele de madeira quente

Preto
convento redondo em nós
antigamente

Of crying
of the face   of boats
of arrows

A sword

A wellspring
a house
a mineral

Through remembrance
a bird   a cat
a pyramid

Black
too much an addiction
too much the bark of warm wood

Black
a cloister enclosing us
in the old days

Nuamente Tempo

(from *Cidadelas Submersas* 1961)

É o tempo da mentira

É o tempo curvo de matar
a morte

É o tempo exacto
de estar exacta e nua

nua e longa
na distância das fronteiras
do sangue
com cidades cortadas pelo meio

É o tempo grande
de estar cansada
fria
de estar convosco e ter
concessões nos olhos

É o tempo dia
de inventar paisagens
quentes
e ter um carnaval vestido
pelos seios

Time for Disclosure

It's time for telling lies

It's the twisted time for killing
death

It's precisely the time
for being precise and naked

naked and far away
from the frontiers
of blood
with cities sliced down the middle

It's the noble time
of being bone-weary
chilled
of being with you and of filling
our eyes with permissions

It's the time of day
for inventing landscapes
of ardour
for holding a carnival
worn on our breasts

Invenção

(from *Verão Coincidente* 1962)

Luto
porque luto
ou porque quero

da raiz
da semente
ou porque tenho

Tenho
e procuro
porque entendo
que o vento e o oceano
se obtêm

da palavra
do cubo
ou do projecto

Pretendo
ramifico
ou só disponho

Invention

I struggle
because I struggle
or because I long

for the source
for the seed
or because I have them

I have them
and keep seeking
because I know
wind and ocean
are derived

from the word
from the hub
or from the draft

I reach out
spread my branches
or compose alone

Invocação ao Amor

(from *Verão Coincidente* 1962)

Pedir-te a sensação
a água
o travo

aquele odor antigo
de uma parede
branca

Pedir-te da vertigem a
certeza
que tens nos olhos quando
me desejas

Pedir-te sobre a mão
a boca inchada
um rasto de saliva
na garganta

pedir-te que me dispas
e me deites
de borco e os meus seios
na tua cara

Pedir-te que me olhes
e me aceites
me percorras
me invadas
me pressintas

Pedir-te que me peças que
te queira
no separar das horas
sobre a língua

Invocation to Love

I'd ask you for feeling
for water
for the aftertaste

for that age-old smell
of a white-washed
wall

I'd ask you for the certitude
of vertigo
that fills your eyes
when you desire me

I'd ask for your swollen
mouth on my hand
a trail of your saliva
in my throat

I'd ask you to strip me
and lay me
face down with my breasts
in your face

I'd ask you to see me
and receive me
search me
take me
know me

I'd ask you to ask me
to want you
in parting from the hours
on the tongue

Totalidade

(from *Verão Coincidente* 1962)

Meu ciúme
meu perfil
minha fome

meu sossego
minha paz
minha aventura

Meu sabor
minha avidez
saciedade

minha noite
minha angústia
meu costume

My All

My jealousy
my half-portrait
my hunger

my repose
my peace-and-quiet
my do-or-dare

My relish
my greed
my glut

my night
my anguish
my second skin

Saudade

(from *Amor Habitado* 1963)

Saudade já saudade
antes saudade
amor de te não ver
porque pressinto

se sinto que te ter
é não saber
distância já agora
e que não minto

Amor de que me calo
e te não digo

amor já saudade
já instinto

Saudade

Saudade now *saudade*
saudade in the past
loving not seeing you
since I can sense you

feeling I possess you
never needing to know
how distant you are now
never needing to lie

Keeping love silent
and never showing you

love now of *saudade*
now in my blood

Palavras

(from *Amor Habitado* 1963)

Habito por dentro
das palavras

com tectos de saliva
e quartos grandes

na união total
e humidade

do deslizar a vida
na garganta

Habito as manhãs
a cor – o tempo

a curva adocicada
da vontade

aquilo que se prende
e apreendo

aquilo que desfaço
e não disfarço

Depois a vastidão
o riso   e o sossego

sossego sem ser paz
nem aventura

Respiro o que não tenho
nem viagem

habito o que descubro
e a cidade
o corpo   a revolta

Words

I dwell within
the word

with roofs of spittle
and roomy halls

in complete oneness
and running water

for pouring the soul
down the throat.

I live in the mornings
the colour   the time

the sweet bending
of the will

that which is grasped
and gripped

that which I disfigure
and do not dissemble

And then wilderness
laughter   and stillness

stillness without peace
without exploit

I breathe in whatever I don't have
no not even a journey

I inhabit whatever I find
yes the city too
the body   the uprisings

a pele   os membros

o ritual interno
e a ternura

E se palavras tenho
como armas

moldando-as uma a uma
consciente

é de habitá-las hoje
que suponho

não mais poder
usá-las conivente

the skin   the limbs
the interior rituals
and the tenderness

And if I wield words
like weapons

forging them one by one
mindfully

it's so I can make them my home
which I guess means

no longer using them
as accomplices

Jamais

(from *Amor Habitado* 1963)

Saudade não   jamais
medo ou instinto

epiderme jamais
saudade ou linho

o branco ou a saudade
jamais liso

jamais textura – facto
pergaminho

Saudade recolhida
pouco a pouco

jamais temperatura
nem ensino

Never

Saudade no   never
fear or instinct

scarf-skin never
saudade or linen

whiteness or *saudade*
never ironed

never woven – fact
parchment

Saudade garnered
little by little

never fever
nor ever teaching

Regozijo

(from *Amor Habitado* 1963)

O amor
é feito de pequenos regozijos

de pequenos caminhos
atalhos
reentrâncias

aquelas reentrâncias
que só o regozijo
chama

De pequenos objectos
que o regozijo queima

Rejoicing

Love
is made from slender rejoicings

from slender pathways
shortcuts
hiding places

the hiding places
that only rejoicing
brings

And from the slender things
that rejoicing scorches

Os Teus Olhos

(from *Candelabro* 1964)

Direi verde
do verde dos teus olhos

um rugoso mais verde
e mais sedento

Daquele não só íntimo
ou só verde

daquele mais macio
mais ave
ou vento

Direi vácuo
volume
direi vidro

Direi dos olhos verdes
os teus olhos
e do verde dos teus olhos direi vício

Voragem mais veloz
mais verde
        ou vinco

voragem mais crespada
ou precipício

Your Eyes

I'll say green
as in the green of your eyes

an intricacy greener
and thirstier

Of what's not just intimate
or just green

what's more sleek
more bird
or breeze

I'll say chasm
mass
I'll say glass

I'll call all green eyes
your eyes
and I'll call the green of your eyes a vice

A vortex more violent
more green
        or a ravine

a vortex more intricate
or a yawning abyss

Oponho

(from *Candelabro* 1964)

Já nada oponho
que a lassidão não
quebre

se tudo tenho que a
lucidez
não lembre

que nem o aço dos olhos
ou o sono encontro
aquele lento espaço que não serve

sentir
ou dar a boca

a ti só
dar-te a boca

opor aos dedos
a maciez da pele

A curva já não sinto
oposta nem demonstra
esta longa certeza que repele

Da noite não se inventa
nem se espera

Ao grito
oponho o branco da manhã

a ti
tudo o que oponho tudo quebro

I Oppose

There's nothing I oppose
that weariness does not
destroy

if all I have
is not kept alive
by lucidity

neither in steely watchfulness
nor in sleep do I find
that languid space that has no utility

to feel
or to offer the mouth

to you alone
offer the mouth

pit the skin's softness
against the fingers

I no longer feel the contrary turn
and the long-term certitude that repels
is not manifest

from night nothing's made
or can be hoped for

against the cry
I pit the white of morning

for you
all that I oppose, I break it all

À luz oponho
o frio
oponho a lã

Da memória
oposta ao esquecimento
faço com ela febre ou cicatriz

doença persistente que nos leva
a toda uma infância
que não quis

Àquilo que quero
oponho o pensamento

a mim oponho de mim
o que me resta

Àquilo que não digo
oponho o que me deste

e àquilo que não choro
oponho o que detesto

Então o que nos
fica
e já não presta

depois o que nos
fica
e já não temos

a tudo isso oponho o que não sendo
já a saudade
é a saudade mesmo

Against the light
I pit cold
I pit wool

I use remembering
against forgetting
to make a fever or scar

a lasting illness that takes me
back to a whole childhood
I did not want

Against what I want
I pit thinking

against myself I pit
what's left of me

Against what I do not say
I pit what you gave me

and against what I won't cry about
I pit what I hate

So what stays
with us
and is now worthless

is what afterwards stays
with us
yet we no longer have

– against all of this I pit that which
not being *saudade*
is *saudade* all the same

Tu

(from *Candelabro* 1964)

Com esse teu ar
de arcanjo negro

pálido e magro
triste e alheado

ficas por vezes quase etéreo
calado
enquanto eu te olho docemente

Num espanto condenado
quase místico
debruço-me secreta à tua beira

e numa espécie de prece
porque existes

alheado – magro
belo e triste

estou de joelhos
meu amor
e beijo-te

You

With that look of yours
of black archangel

pale and gaunt
down-hearted and distant

sometimes you're almost unearthly
unspeaking
as I watch you tenderly

In helpless almost
mystical awe
I press myself surreptitiously against you

and in a kind of prayer
because you exist

distant – gaunt
beautiful and down-hearted

I'm on my knees
my love
and kissing you

Crepúsculo

(from *Jardim de Inverno* 1966)

Oh intimidade...
os cortinados
um fim de tarde assim...

aqui sentada...

desloco com os olhos
o país
e estendo-o nos joelhos

desarmada

ao lado a estante
os quadros nas paredes
um certo frio a arrepiar-me a pele

nas pernas longas
as meias transparentes
e a caneta roçando no papel

Dusk

Oh intimacy...
the curtains
one afternoon, late, like this...

sitting here...

as I look I dislodge
the homeland
and lay it across my knees

Disarmed

beside the bookcase
the pictures on the walls
a kind of chill stealing over my skin

sheer stockings
on long legs
and the pen rustling over the paper

Delírio

(from Jardim de Inverno 1966)

São cavalos

Cavalos
e não sombras
que caminham na noite
lado a lado

No silêncio
das casas e das coisas
caminham devagar
a par e passo

Meus cavalos de
ventos submarinos
de cidades submersas
e de medo

Meus cavalos
de fogos e de limbos
de dorsos deslocados
que se entendem

Já da noite não vem
o corpo lento
do escuro
sem o eco das trombetas

Que as ruas desfazem
e deslocam
no interior das casas
que se rendem

Nem da morte
a febre do disfarce
já nem da morte vem
ou se desprende

Delirium

There are horses

Horses
and not shadows
that amble through the night
side by side

In the silence
of houses and things
they amble along
keeping in step

My horses of
underwater winds
of sunken cities
and dread

My horses
of flames and limbs
of dislocated backs
who feel for each other

Now tonight
the slow body
of dark does not come
without the echo of trumpets

Which the streets let loose
and drive
deep inside the houses
that give themselves up

Not even death
the fever in disguise
not even death comes now
nor does it steal away

São cavalos
na noite
são cavalos
meus lentos cavalos de doente

There are horses
in the night
there are horses
my slow horses of sickness

Penumbra

(from *Jardim de Inverno* 1966)

Solto o meu riso
no meio do teu   silêncio
e em silêncio abraço-te os joelhos

E não defendes
não podes
nem pretendes

Defender das mãos os meus joelhos
que se prendem ainda inutilmente
à rede ritual dos preconceitos

Mas soltos sobem já
e avançam desviados
descobrindo da penumbra mais aberta

Aquilo que no corpo
é mais fechado
num odor de fruto que se enceta

Twilight Zone

I'm laughing unashamedly
in the space of your   silence
and in the silence I embrace your knees

And you do not protect
you cannot
you do not pretend

to protect from the hands
my knees that pose uselessly
in a ritual tangle of preconceptions

Yet unashamedly they lift
and splay apart
disclosing in the naked twilight

that which is enclosed
inside the body
in the scent of the fruit that flowers

Pequenos Dizeres sobre a Mulher

(from *Cronista Não é Recado* 1967)

I

Não come da
fome
nem come do medo

nem guarda na
arca
com a roupa o segredo

II

No armário
não tem vestido
mas também não tem o medo

Na fome
os dentes vão lendo

No corpo
o frio vai cedendo

III

Há quem diga da mulher
e há quem conte a sua vida

Conforme o pão
a mulher

Conforme a luta
é nascida

A Few Sayings about Women

I

Do not eat from
hunger
nor eat out of fear

Do not keep
secrets
in the trunk with your clothes

II

In your wardrobe
there is no frock
and also no fear

Your teeth
are studying hunger

The chill in your body
is abating

III

Some talk about woman
and some tell the story of her life

A woman
is like bread

Being born
is a struggle

Há quem diga
dos seus olhos
e há quem conte do seu ventre

Conforme o peso
que arrasta

Conforme o país
que sente

IV

Acolhe a mulher
o cântaro

Na água acolhe
os joelhos

Debruçada sobre o balde
os anos acolhe inteiros

Acolhe a água
no cântaro

Debruçada sobre o tempo
acolhe a mulher a vida

V

Não há pranto que se ajuste
à fome de uma espingarda

Nem porcelana que parta
os olhos da sua água

Some talk
about her eyes
and some tell the story of her belly

Like a deadweight
that drags

Like a country
that's alive

IV

The woman receives
the pitcher

Lets the water receive
her knees

Leaning over the pail
she receives the years whole

Receives the water
in the pitcher

Leaning over the years
the woman receives her life

V

No weeping can answer
the hunger of a shotgun

Nor can any china part
the eyes from their tears

A mulher na sua casa
põe a frescura no cântaro

E o poente dobrado
depõe-o ela a um canto

The woman in her house
puts fresh water in the pitcher

And the tilting sunset
puts it in a song

Primeiro Cantar sobre a Índia

(from *Cronista Não é Recado* 1967)

'Quem se atrevia a afirmar / que a nação se arruinava?'
—Oliveira Martins

Lisboa morre de fome
debaixo dos seus alpendres

A mesma fome
dos campos

O rei não paga
o que pede
a juros exorbitantes

Quem se atreve
a afirmar
que a nação se arruína?

Vêm cheias de brilhantes
as naus que tornam
da Índia

Os fidalgos trazem
escravos
e sapatos de pelica

O pão não canta
no campo
nem os homens nas ruínas

Que faz o rei
pelos campos donde os homens
se afugentam?

Lisboa constrói a fome
e os fidalgos
opulentos

A First Song about India

'Who would presume to claim the nation was ruined?'
—Oliveira Martins

Lisbon is dying of hunger
under its porticoes

The same hunger
as in the countryside

The king does not pay
the excessive interest
on what he demands

Who would presume
to claim
the nation was ruined?

Ships returning from India
arrive with cargoes
of diamonds

Magnates bring back
slaves
and shoes of kid

Bread does not sing
in the meadows
nor men in the ruins

What is the king doing
in the fields where men
are seeking shelter?

Lisbon is amassing hunger
and magnates
made of money

A cânfora e a cambraia
não alimentam
o povo

Que faz o rei
da fazenda
e das rendas do tesouro?

Saem os homens
sedentos
em naus que vão para a Índia

Lisboa constrói
a fome

E os campos sem os homens
quem será que os afirma?

Camphor and cambric
do not feed
the people

What is the king doing
with the estate
and the treasury's revenues?

Men are leaving
parched with thirst
in ships bound for India

Lisbon is amassing
hunger

And the fields empty of men,
who will be there to claim them?

Dizeres sobre o Medo

(from *Cronista Não é Recado* 1967)

'... Facto e epoca em que a tirania, o fanatismo, a hypocrisia
e a corrupção nos apparecem na sua natural hediondez'
—Alexandro Herculano, *História da Origem e Estabelecimento
da Inquisição em Portugal*

Quem ousa dizer
tirano
sem contornar a palavra?

(os olhos firmes e espessos)

Quem ousa dizer
tirano
com a janela entreaberta?

(os dedos duros e secos)

Quem ousa dizer
tirano
sem ter a porta fechada?

(os lábios brancos e presos)

Quem ousa dizer
tirano
sem ter a arma firmada?

(os sentidos bem despertos)

Quem ousa dizer
tirano
sem lhe contornar a casa?

Sayings about Fear

'... an epoch in which tyranny, fanaticism, hypocrisy
and corruption appear to us in their natural stench'
—Alexandro Herculano, *History of the Origin and Establishment
of the Inquisition in Portugal*

Who dares utter
tyrant
without skirting round the word?

(with eyes wide open)

Who dares utter
tyrant
with the window ajar?

(with fingers rigid and inert)

Who dares utter
tyrant
without making sure the door is locked?

(with lips white and clamped)

Who dares utter
tyrant
without making sure the gun is cocked?

(with all the senses alert)

Who dares utter
tyrant
without making a tour of the house?

(a espingarda sob os dedos)

Quem ousa dizer
tirano
sem ter violado o medo?

(with a finger on the trigger)

Who dares utter
tyrant
without having crippled fear?

Dama Vestida de Mim

(from *Minha Senhora de Mim* 1971)

Senhora minha
raiz
resguardada no seu jeito

dama vestida de mim

fechada nos seus poemas
a fiar o meu enjeite

Lady Dressed as Myself

Lady of mine
the source
defending herself in her own way

lady dressed as myself

penned in the poems she makes
to set free my own nay-saying

Poema de Amor

(from *Minha Senhora de Mim* 1971)

Minha mágoa
minha água
meu sabor de fruto solto

Meu fruto
de sol aberto
no seu caminho revolto

Meu infiel
meu ramo
minha flor de cetim

Meu corpo que não derramo
meu insuspeito
de mim

Love Poem

My sorrow
my rain-water
my scent of fallen fruit

My fruit of
a full sun
on its wild way

My heathen
my bough
my satin-blossom

My unspilled body
my unsuspecting unsuspected
self

Segredo

(from *Minha Senhora de Mim* 1971)

Não contes do meu
vestido
que tiro pela cabeça

Nem que corro os
cortinados
para uma sombra mais espessa

Deixa que feche o anel
em redor do teu pescoço

Com as minhas longas
pernas
e a sombra do meu poço

Não contes do meu
novelo
nem da roca de fiar

Nem do que faço
com eles
a fim de te ouvir gritar

Secret

Do not mention my
dress
which I'm slipping over my head

Nor that I'm drawing the
curtains
to make the shadows darker

Let me tie a circlet
around your neck

With my long
legs
and the dark of my depths

Don't mention my
skein of rope
nor the spindle

Nor what I'll do
with them
just to hear you howl

Entre Nós e o Tempo

(from Minha Senhora de Mim 1971)

Assim... meu amor
penetra o tempo

as ancas devagar
as pernas lentas

o charco dos teus olhos
e a laranja
a palpitar dentro do meu ventre

Assim... meu amor
penetra o tempo

a boca devagar
os dedos lentos

a raiva do punhal que enterras
no sol pastoso
do meu ventre

Assim... meu amor
penetra o tempo

os rins devagar
o espasmo lento

Between Us and Time

And so... my love
thrusts through time

the unhurried haunches
the leisurely thighs

the pool of your eyes
and the orange-fruit
throbbing in my womb

And so... my love
thrusts through time

the unhurried mouth
the leisurely fingers

the fury of the knife you bury
in the succulent sun
of my womb

And so... my love
thrusts through time

the unhurried loins
the languorous orgasm

Minha Senhora de Mim

(from *Minha Senhora de Mim* 1971)

Comigo me desavim
minha senhora
de mim

sem ser dor ou ser cansaço
nem o corpo que disfarço

Comigo me desavim
minha senhora
de mim

nunca dizendo comigo
o amigo nos meus braços

Comigo me desavim
minha senhora
de mim

recusando o que é desfeito
no interior do meu peito

Milady of Me

I'm estranged from myself
o milady
of me

not with grief or fatigue
nor with my body in drag

I'm estranged from myself
o milady
of me

never telling myself
about the man in my arms

I'm estranged from myself
o milady
of me

rejecting the devastation
deep in my breast

A Boca do Corpo

(from *Educação Sentimental* 1975)

Digo a boca do corpo
uma rosa

a língua lenta
e o suco da garganta

Gomo a gomo
do útero
a laranja

Pétala por pétala
tecida a sua franja

O fio   o fato
tirado pela cabeça

Em baixo a boca
no fio do movimento

Acompanha o pé
subindo até à anca
o fio do cuspo

da rosa o alimento

A arte   a harpa
tangida
nos joelhos

de borco a porta

escondida no calor
do corpo a boca
colhida como rosa

na jarra acesa a rosa em seu odor

The Body's Mouth

I speak of the body's mouth
a rose

a slow tongue
and the juice of the gullet

Morsel by morsel
the orange
of the womb

Petal by petal
its fringe is ravelled

The thread   the truth
drawn from the head

Down from the mouth
on the thread of movement

Follow the foot
as far as the hip
the thread of spittle

the nutriment of the rose

The art   the harp
played
by our knees

the inverted doorway

secreted in the heat
the mouth of the body
plucked like a rose

the rose in the vase lit by its odour

Do corpo a boca
no lago dos sentidos
guiando os dedos

em cima o seu labor

que os lábios bordam
na boca
dos gemidos

A rosa   a roca
a boca da flor

The mouth of the body
in the pool of the senses
steering the fingers

over its work

which the lips embellish
with the mouth's
moans

The rose   the spindle
the mouth of the flower

A Língua

(from *Educação Sentimental* 1975)

Quanto mais lenta
é a língua

   (a tua língua)

mais breves são os lábios
e sobretudo os dentes

a resvalarem breves na saliva
misturada já
no cimo do meu ventre

Quanto mais branda
é a língua

   (a tua língua)

mais silenciosos são os lábios
e as gengivas
a enrijecerem

com a acidez do suco
que brota logo do fruto
da vagina

Quanto mais leve
é a língua

   (a tua língua)

mais pesado é o hábito
que circula
enovelando o que sobra ainda

The Tongue

The slower
the tongue

   (your tongue)

the more fleeting are the lips
and above all the teeth

slipping fleetingly in the spittle
mingling now
on top of my belly

The gentler
the tongue

   (your tongue)

the more soundless are the lips
and the gums
tautening

with the acidity of juice
that will soon burst from the fruit
of the vagina

The lighter
the tongue

   (your tongue)

the heavier is the habit
that circles around
reeling in what remains

de lucidez
de prazer
e gula

of clarity
of gratification
and greed

O Corpo

(from *Educação Sentimental* 1975)

Digo do corpo
o corpo
e do meu corpo

digo do corpo
os sítios e os lugares

de feltro os seios
de lâminas os dentes
de sede as coxas
o dorso, em seus vagares

Lazeres do corpo
os ombros
as lisuras   o colo alto
a boca retomada

no fim das pernas
a porta da ternura
dentro dos lábios
o fim da madrugada

Digo do corpo
o corpo
e do teu corpo

as ancas breves
ao gosto dos abraços

os olhos fundos
e as mães ardentes
com que me prendes
em súbitos cansaços

The Body

I speak of the body
the body
and of my body

I speak of the body
its sites and spaces

the felted breasts
the teeth's veneer
the thighs' thirstiness
the vagabond torso

The body's playfulness
the shoulders
the truth-telling   the long neck
the mouth resuming

at the top of the legs
the doorway of tenderness
inside the lips
the crack of dawn

I speak of the body
the body
and of your body

the fleeting haunches
in the pleasures of embrace

the deep gazings
and ecstatic hands
with which you take me
in sudden depletion

Vício de um corpo
o teu
com o seu veneno

que bebo e sugo
até ao mais amargo

ao mais cruel grau
do esgotamento
onde em segredo
nado em cada espasmo

Digo do corpo
o corpo
o nosso corpo

digo do corpo
o gozo
do que faço

Digo do corpo
o uso
dos meus dias

a alegria do corpo
sem disfarce

Addict of a body
yours
with its toxins

that I sip and suck
even the bitterest

even the cruellest depths
of depletion
where secretly
I swim in each shudder

I speak of the body
the body
our body

I speak of the body
the relish
in what I do

I speak of the body
the habit
of my days

the delight in the body
without disguise

Modo de Amar

(from *Educação Sentimental* 1975)

Vais pôr-me de borco
assim inclinada

a nuca a descoberto
o corpo em movimento

a testa a tocar a almofada
que os cabelos afloram
tempo a tempo

Vais pôr-me de borco
digo
ajoelhada

as pernas longas
firmadas no lençol

e não há nada, meu amor
já nada, que não façamos
como quem consome

(Vais pôr-me de borco
depois inclinada

os meus seios pendentes
nas tuas mãos fechadas)

The Way to Love

You're going to take me face down
bending over like this

naked from the nape
the body in motion

forehead touching the pillow
which my hair grazes
in time to the beat

You're going to take me face down
I say
kneeling

long legs
steadied on the sheets

and there's nothing, my love,
absolutely nothing we do not do
consumed, consuming

(You're going to take me face down
bending over at my back

my breasts drooping
in your clenched hands)

Quem?

(from *Mulheres de Abril* 1977)

A todas as mulheres anónimas destruídas-assassinadas.
Diariamente aniquiladas

Quem te disse
e propagou

        perdida?

Quem usou
abusou

        da tua voz?

Quem se cansou
te abandonou

        na vida?

Quem se esqueceu
te perdeu

        e em seguida

te acusou
do crime

        mais atroz?

Quem te tirou
dos braços

        tua filha

Quem mandou pôr
teu nome

        no jornal?

Quem destruiu
o riso

        que ainda tinhas?

Who?

For all the nameless women murdered, assassinated,
wiped out day after day

Who said
and spread it about
                    that you'd gone missing?

Who used
usurped
                    your voice?

Who got bored
cut you dead
                    while you were alive?

Who turned a blind eye
spurned you
                    and soon after

reviled you
for a misdeed
                    much viler?

Who dragged
your daughter
                    out of your arms?

Who saw to it
that your name
                    became news?

Who wiped
the last smile
                    off your face?

Quem te matou
te assassinou
          te envenenou de mal?

Quem recusou de ti
tudo o que
          vinha?

Quem te meteu
no corpo
          este punhal?

Who battered
assassinated you
           force-fed you poison?

Who rejected you
everything
           connected with you?

Who buried
this blade
           in your body?

Cantar de Uma Mulher Assassinada Enquanto Dormia

(from *Mulheres de Abril* 1977)

Estavas na cama
com o filho deitada
chegou-se-te o homem
            não te disse nada

Dormias cansada
o corpo largado
a meio da cama com o menino
            ao lado

Chegou-se-te o homem
trazia um machado

– Marido! – dirias
  Para quê o machado?

Mas tu já dormias
e não percebias a morte – o machado
que o homem trazia
            coração fechado

– Marido! – dirias
  Que morte tão crua me trazes de França
  sem outro recado!

Mas tu já dormias
vencida e esquecida
o corpo apartado

E o homem tremia
as mãos no machado

Song for a Woman Murdered While She Slept

You were in the bedroom
lying down with your child
the man closed in on you
                    not saying a word

So weary, you were sleeping
your body spreadeagled
in the middle of the bed, the little one
                    beside you

the man closed in on you
carrying an axe

– *Husband!* – you'd say,
   why do you carry an axe?

But you went on sleeping
didn't see death – the axe
the man carried
                    his heart battened shut

– *Husband!* – you'd say,
   what dreadful death have you brought me from France
   with no warning?

But you went on sleeping
beaten and unheeded
detached from your body

And the man trembled
his hands on the axe

olhando o teu sono e vendo o menino
deitado a teu lado

– Marido! – dirias
   Qual foi o pecado?
Mas tu já dormias
e o som não ouvias
                    de erguer o machado

Chegou-se-te o homem
mais perto, curvado
Colhendo o ciúme do teu peito nu
tanto imaginado

– Marido! – dirias
   Que dor encontraste
   de França tornado?

Mas tu já dormias
alheia ao pranto
ao quanto de bruços o perigo crescia

Levantou o homem
mais alto o machado
perdido de ti
esquecendo o menino deitado a teu lado

– Marido! – dirias
   Que ódio sedento por mim te cresceu
   Que mal fiz eu?

Mas tu já dormias
e dele o ciúme
tu desconhecias

E o homem curvado
de súbito se ergueu
brandindo o machado que no teu pescoço
três vezes desceu

watched you asleep, eyeing the son
by your side

– *Husband!* – you'd say,
  what sin have I committed?
But you went on sleeping
deaf to the whisper
                    of the axe being lifted

The man closed in on you
nearer and nearer, bent over
Fattening his jealousy with a fantasy
of your bare naked breast

– *Husband!* – you'd say,
  what evil greeted you
  as you came home from France?

But you went on sleeping   ,
unacquainted with grieving
unaware great danger was hovering

The man heaving the axe
high over his head
heedless of you
oblivious of the child at your side

– *Husband!* – you'd say,
  why this unslakeable hatred?
  what did I do wrong?

But you went on sleeping
having no inkling
of the jealousy in his soul

And the man who was bent over
suddenly drew himself upright
brandished the axe that fell down
thrice on your neck

– Marido! – dirias
   Que fizeste tu
   da vida que eu queria?

Mas tu já morrias...

– Husband! – you'd say,
what have you done
with the life I so loved?

But you were dying already...

Catarina Eufémia

(from *Mulheres de Abril* 1977)

O punho ergueste
em haste
de coragem

Os pés fincaste
na terra
com ternura

E só de paz falavam os teus olhos
quando tombaste
dobrada pela cintura

À tua frente souberas a resposta
na arma pronta
à morte no teu ventre

mas nem um filho
ao colo
te calou fala

grito de água
no Alentejo ardente

Catarina Eufémia

You held your fist high
on its stem
of courage

With compassion
you stamped your feet
on the soil

And your gaze spoke only of peace
when you fell
doubled over at the waist

From opposite you caught the riposte
of the weapon that dealt
death to your womb

but not even a small child
in your lap
could silence you

a wail of water
in Alentejo on fire

Exertos de Os Anjos

(from *Os Anjos* 1983)

'Feminilidade e bisexualidade seguem juntos o mesmo caminho'
—Hélène Cixous

anjos do prazer

I

Eles andam no ar
com as suas vestes
longas

as asas frementes
a baterem
no tempo

Vêm
da infância
a rasar a memória

a voarem o vento

XI

Os anjos são
os olhos
da cidade

Olhos de mulher
que voa

Excerpts from The Angels

'Femininity and bisexuality share the same journey'
—Hélène Cixous

angels of pleasure

I

They walk on air
with their raiment
trailing

their wings trembling
to do battle
against time

They come
from childhood
to wipe out the remembrance

of sailing the wind

XI

Angels are
the eyes
of the city

Eyes of the woman
who flies

XV

Queria saber
do destino dos anjos

quando voam
no mar
dos nossos olhos

no céu líquido
dos olhos
das mulheres

anjos do apocalipse

I

Este é o anjo do apocalipse
com a sua espada
                    fulva

funda

embainhada na nossa
vagina!

III

Caminham com estandartes
com espadas e paixão
numa erecção calada

São os anjos do ódio
com a sua raiva
alada

XV

I wanted to know
the angels' fate

when they float
in the ocean
of our eyes

in the rinsed sky
of the eyes
of the women

angels of the apocalypse

I

This is the angel of the apocalypse
with his swarthy
                        blade

sheathed

deep in our
vagina!

III

They march with banners
with swords and passion
erected in silence

They are the angels of hate
with their rage
borne on air

V

São os arcanjos
do sonho

usando comigo
a sua espada
de aço

anjos do amor

V

Suposto é de ti
que tu tens asas

Luzentes:

a estremecerem
na fala

VI

As lâminas
de metal
das tuas asas

A lembrarem o sol
a bater
nas penas dos pássaros

V

They are the archangels
of the dream

wielding their steel
sword
beside me

angels of love

V

You're the one
meant to have wings

Shining-bright:

all a-quiver
at the word

VI

The metal
scales
of your wings

are to remind us of the sun
beating
on the feathers of songbirds

anjos do corpo

II

São os anjos quem
guardam
os orgasmos

Pastores

dos rebanhos
dos ardores
dos odores do corpo

anjos da memória

I

Os anjos alados
da memória

com as suas asas
de pérgula
e medronho

a voarem noite dentro
pelo sonho

IX

É a memória
dos teus dedos poisados
nas asas dos meus ombros

entrelaçados
enlaçados

angels of the body

II

There are angels who
keep watch over
orgasms

Shepherds

of the flocks
of ardours
of odours of the body

angels of memory

I

The airborne angels
of memory

with their wings
of shelter
and *medronho*

for flying through the night
on dreams

IX

There is the memory
of your fingers poised
on the wings of my shoulders

interlaced
dovetailed

Como entranças
os sonhos

anjos mulheres

I

As mulheres voam
como os anjos
Com as suas asas feitas
de cristal de rocha da memória

XI

Voamos a lua
menstruadas

Os homens gritam:
– são as bruxas

As mulheres pensam:
– são os anjos

As crianças dizem:
– são as fadas

XVI

Nós somos os anjos
deste tempo

Astronautas
voando na memória
das galáxias do vento...

Like the braiding
of dreams

angel women

I

Women fly
like angels
With their wings hewn
from the crystal rock of memory

XI

We fly the moon
menstruating

The men cried:
– there are witches

The women thought:
– there are angels

The children said:
– there are fairies

XVI

We are the angels
of these times

Astronauts
flying on the memory
of the wind of galaxies...

XVII

Temos um pacto
com aquilo que

        voa

– as aves

        da poesia

– os anjos

        do sexo

– o orgasmo

        dos sonhos

não há nada
que a nossa voz não abra

Nós somos as bruxas
da palavra

XVII

We have a covenant
with all that
                    flies

– the birds
                    of poetry

– the angels
                    of sexuality

– the orgasm
                    of dreams

there is nothing
that our voice does not unlatch

We are the witches
of the word

Minha Mãe Meu Amor

(from *Minha Mãe Meu Amor* 1984)

Respirar-te o sangue
bebendo-te o perfil

bordando-te o perfil

a ponto-pé-de sombra
e de flor

a ponto-pé-de amor.

Respirar-te o mover
bebendo-te o sorrir

bordando-te o sorrir

a ponto-pé-de parto
e de partir

a ponto-pé-de afago
e de flor:

minha mãe meu amor

de Capítulo IV, O Tacto – O Olhar

'Que nous puissions nous goûter, nous toucher, nous sentir,
nous écouter, nous voir – ensemble'
— Luce Irigaray

Ser amada
por ti:

doce...

My Mother My Love

To breathe your blood
drinking in the lineaments of you

tracing your lineaments

on the brink of dream
and blossom

on the brink of love.

To breathe your rhythms
drinking in your smile

tracing the smile of you

on the brink of birthing
and parting

on the brink of a caress
and blossom

my mother my love

from Chapter IV, Touching – Looking

'If we could only taste ourselves, touch ourselves,
sense ourselves, hear ourselves, see ourselves – wholly'
— Luce Irigaray

To be loved
by you:

how sweet...

Por ti
loura e doce
por ti memória e lua

Por ti
mirto e mãe

doce...

Por ti
mito e louça

nua...

Ser amada
por ti:

doce...

Por ti
parto e espaço
Por ti nó e laço

esgarço...

Por ti
rosto e rola
Por ti rosto e água

frágua...

Por ti frágua
e face

Ser amada
por ti

doce...

By you
golden and sweet
by you memory and moon

By you
myrtle and mother

sweet...

By you
myth and dinnerware

bare...

To be loved
by you:

sweet...

By you
delivery and distance
By you knot and bond

slackened

By you
countenance and dove
By you countenance and water

furnace...

By you furnace
and face

To be loved
by you

how sweet...

Por ti
loura e doce
por ti pérgula e árvore

pano e árvore

Ser amada
por ti

doce...

Por ti
meiga e ave

nave...

Por ti
gesto e linho

louca

Por ti
chuva
por ti exposta e por ti, dada

guardada

Ser amada
por ti

doce...

por ti
loura e doce
por ti branca e doce

cor-de-rosa e branca

pálida

By you
golden and sweet
by you arbour and tree

teatowel and tree

To be loved
by you

sweet...

By you
mildness and bird

vessel...

By you
beckoning and linen

crazed

By you
rainfall
by you exposed and by you given

held

To be loved
by you

sweet...

by you
golden and sweet
by you white and sweet

rose-red and blanche

ashen

de Capítulo VII, O Transfert

'A mulher psicanalista. como mãe possível,
representa a relação com a origem'
— Irene Roublef

…
Nunca afinal eu soube
que eras tanto

nem que vinhas da noite
e eras cedo

Um braseiro de rosas
ou a esperança

Um bálsamo de cânfora
ou o medo

Nunca afinal eu soube
que eras tanto

nem que vinhas de noite
e eras tempo

Por isso te pergunto
já sem esperança

O que hei-de fazer
com um coração aceso?

from Chapter VII, Transfer

'The female psychoanalyst, like a potential mother,
represents the relationship with the source'
— Irene Roublef

...
Really I had no idea
that you were all this

nor that you came from the night
and abruptly

A brazier of roses
or hope

A salve of camphor
or fear

Really I had no idea
that you were all this

nor that you came at night
and were time itself

And so I ask you
though without any hope

Oh what should I do
with a heart that's burning?

Rosa Que Sangra

(from *Rosa Sangrenta* 1987)

Uma rosa que sangra
entre as pernas
no côncavo do corpo adormecida

uma rosa no ventre
entreaberta,
em si própria rasgada, enlouquecida

Uma rosa de febre
respirada
tecida nos sucos do desdém

Orgástica – voraz
e decepada
pétala a pétala lambida e desenhada

O caule erguido
no golpe
em que se vem

Uma rosa de fogo
incendiada
de lábios mansos fechados sobre a língua

De sucos doces
e de licores que cavam
esse outro gosto travado sobre a língua

Uma rosa mátria
de mênstruo legado
espécie de pacto – de acto
ou de sina

Com um pequeno clitóris alto
de súbito crescido

Rose That Bleeds

A rose that bleeds
between the legs
in the cave of the sleeping body

a rose in the half-open
belly
riven within itself, maddened

a fevered rose
inhaled in
ravelled in the juices of disdain

Orgiastic – greedy
and mutilated
licked and shaped petal by petal

The stem erect
here where the blow
falls

A rose of flame
flaring
from soft lips that close over the tongue

From sweet juices
and liquors that decant
that other pleasure trapped under the tongue

A motherland rose
a monthly bequest
a kind of pact – of an act
or fate

With a tiny clitoris standing proud
suddenly grown

e tumefacto
indo explodir no fundo da vagina

Uma rosa poisada
ali no quarto
entre as coxas largada e sem doçura

Carnívora, ardente e esfomeada
de tudo o que sedento
é já fissura

Uma rosa de seda
de sede
de humidade

Uma rosa de pele
uma ametista breve
um rubi sangrando entre as pálpebras

Fazendo estremecer
as espáduas
ao de leve

Uma rosa!
Uma rosa!

Uma flor calada

No limite do corpo e da raiz
indo buscar ao útero
a sua outra face

Uma rosa púrpura
Uma rosa de saxe
Uma rosa de orgasmo e de cetim

and swollen
about to explode deep in the vagina

A rose poised
there in the chamber
between slack thighs and without tenderness

Carnivorous, ardent, starved
of everything that's thirsty
and already wide-open

A rose of silk
of thirst
of moistness

A rose of skin
a fleeting amethyst
a ruby bleeding between the eyelids

Causing the shoulders
to shudder
just a little

A rose!
A rose!

A flower muted

On the brim of the body and its root
on the way from the womb
its other face

A rose of crimson
A rose of deep blue
A rose of orgasm and satin

de Período 2, O Corpo (from *Rosa Sangrenta* 1987)

Tem um escorregar
lento
vagaroso e incerto

Um tropeçar macio
que se insinua
vindo da matriz, do útero aberto

Tem um silêncio
brando que se prende
ao cravo do umbigo adormentado

Um odor a mar que se desprende
no respirar
de um corpo onde é rasgado

Tem um rumor
secreto, uma quentura
uma qualquer maneira de tecer

Uma imprecisa forma insegura
na feroz tentativa
em se perder

Depois um tom dolente
de loucura
um vício de raiz embainhada

Um gosto
Uma doçura
Uma textura

Por entre os lábios
uma rasura alada...

...

from Period 2, The Body

There's a slow
slippage
sluggish and uncertain

A soft stumbling
that steals its way
out of the womb, the wide-open uterus

There's a velvety
silence that involves
the flower-bud of the slumbering navel

A scent of the sea that's given off
from the breath
of a body from which it's severed

There's a mysterious
whisper, a warmth
a special way of weaving

A vague and unstable shape
in the fierce attempt
to become lost

And then a mournful accent
of insanity
a defect of the sheathed root

A taste
a honey-sweetness
a weft

Between the lips
a winged dissolution...

...

Os líquidos
os líquenes
os lírios

os licores do corpo
desvendado

À beira
À boca
À vertigem

De um sangue secular
embrionário

Os lados
Os lagos
Os lençóis

Os panos entre as pernas
ensopados

Os vestidos
As saias
As camisas

Escondidos – perdidos
e manchados

As rendas
Os folhos
Os tecidos

Um manso odor a doce
em fogo brando

Deposto
Disposto
Desprendido

The liquids
the lichens
the lilies

the liqueurs
of the unveiled body

On the brim
On the mouth
On the swirling brink

Of age-old blood
full of fruit

The flanks
The lakes
The linens

The cloths between the legs
drenched

The frocks
The skirts
The chemises

In hiding – gone missing
and stained

The lacy things
The gussets
The fabrics

A sweet faint scent
on low heat

Displaced
Disposed
Detached

Das coxas escondendo
o seu engano

de Período 4, A Mãe

Falo-te de uma nova
paisagem
Istambul, Constantinopla?

Com um silêncio
obscuro

e opressivo

Uma eterna paisagem
com florações
sucessivas

depressivas
...

Posta a rosa
ali
à flor do corpo

Das feiticeiras
das fadas
e das feras

A ferro e fogo
traçada com brandura
sangrando mensalmente entre as pernas

Sendo a rosa
ali
a boca desse gosto

Its deceit
secreted from the thighs

from Period 4, The Mother

I'm telling you about a new
landscape
Istanbul, Constantinople?

With a silence
sombre

and hostile

An eternal landscape
with blossomings
one after another

joyless
...

The rose placed
there
by the flower of the body

Of the enchantresses
of the spirits
and the beasts

Iron and fire
inscribed with tenderness
bleeding monthly between the legs

The rose existing
there
the opening of that pleasure

Uma espécie de fenda
adormecida

Uma asa que voa
sobre o ventre
Pétala a pétala
de pele apetecida

A kind of cleft
that slumbers

A wing that flies
across the belly
Petal by petal
of the longed-for skin

Quem são as mães dos poetas?

(from *Destino* 1997)

Quem são as mães
dos poetas?

As fadas das serras altas?
As bruxas das florestas?

Who are the poets' mothers?

Who are the poets'
mothers?

The spirits of the tall mountains?
The witches of the deep woods?

Destino

(from *Destino* 1997)

O lugar destes sítios
chama-se destino

Com o seu enorme peso
de pedras e de visco

Raramente se escutam
as asas e o vinho
ganha no corpo a morbidez do linho

Mas quem empunha o sabre
do destino?
Quem escuta a sua dor não desatada?

Quem pensa que a torpeza
de um sonho de adivinho
se iguala à túnica branca
de um anjo que voava?

Este é o silêncio, sequer o mais veloz
enroscado febril
em sua capa

Um abismo obscuro
onde dormia
quando a saudade não tinha a ver com nada

O lugar destes
sítios
chama-se destino

Com os olhos tapados e uma espada
embainhada não no desatino
mas antes sim, mergulhada em lágrimas

Fate

The location of these places
is called destiny

With its huge burden
of stones and mistletoe

Rarely do they hear
the wings and the wine
makes of the body a flimsiness like linen

But who wields the sword
of fate?
Who hears your unbridled pain?

Who thinks the vileness
of a crystal-gazer's dream
could match the white robe
of an angel in flight?

This is the silence, even the swiftest
twisted feverish silence
on its cover

A dark abyss
where I slept
when the yearning was not for anything

The location of these
places
is called destiny

With eyes shut and a blade
sheathed not in folly
but submerged instead in tears

Quem diz que é bom
lembrar o que se andou
numa qualquer infância desgraçada

Não sei se o destino se inventou
se simplesmente trepou
galgando a sua água

Deixa pois que invoque
o meu destino
apenas sendo um esvoaçar de asa

Um sinal qualquer
um desatino
uma amargura incerta que desata

Um dragão poisado em cada ombro?
a mão encaminhando
o que é desfeito?

Uma dúvida cansada
de quem chega
com uma chaga aberta no seu peito

Who says it's a good thing
to remember what happened
in some wretched childhood

I don't know if fate invented itself
if it simply floated up
rising through its water

Let me then call down
my fate
being just the flutter of a wing

A kind of token
a folly
a fitful bitterness unleashing itself

A dragon poised on each shoulder?
a hand propelling
what's utterly wrecked?

An aching doubt
about someone who's come
with an open wound in her breast

De Amor

(from *Destino* 1997)

Falar da paixão
mais do que o sangue

Mais do que o fogo
trazido ao coração

Mais do que rosa acesa
só por dentro
revolvendo no peito
a ponta de um arpão

Falar da febre sem fé
do animal feroz

Dos líquenes abertos
e dos lírios

Falar desassossego sem razão
uma raiva que silva no delírio

Contar quanto dói
a dor no peito
Quanto é contraditória
esta prisão

Que me faz ficar livre no que sinto
e logo envenenada à tua mão

On Love

To talk of passion
more than of blood

More than of the blaze
inflaming the heart

More than of the fiery rose
under the skin
twisting the knife-blade
in the breast

To talk of the faithless fever
of a wild creature

of the opened lichens
and lilies

To talk uneasily without reason
a fury that hisses in its delirium

To tell how much it hurts
this heart-ache
How contrarian
is this prison

That frees me to feel my feelings
then by your hand deals me poison

Morrer de Amor

(from *Destino* 1997)

Morrer de amor
ao pé da tua boca

Desfalecer
à pele
do sorriso

Sufocar
de prazer
com o teu corpo

Trocar tudo por ti
se for preciso

Dying of Love

Dying of love
next to your mouth

Fainting
at the flowering
of your smile

Suffocating
with pleasure
at your body

Subverting all for you
if the need be

Limites

(from *Destino* 1997)

Não pretendo mais do que o limite
que para além do limite
já se entrega

Eu cumpro os meus
limites
não cumprindo as regras

Limits

I want nothing but the limit
that's already exceeded
the limit

I heed my own
limits
by not heeding the rules

Fulgor

(from *Só de Amor* 1999)

Toco à minha
volta
e é só fulgor

Tento deslumbrar
o sol que chega

Demoro-me demasiado
no calor

Para a minha sede
nenhuma água chega

Ablaze

I touch what's
around me
and it's all just ablaze

I try to outshine
the sun that's rising

I laze away too much time
in the heat

For my drought
no water suffices

Vertigem

(from *Só de Amor* 1999)

Quando sob o meu
está o teu corpo
e eu nado dentro
do desejo e enlaço

os teus ombros as ancas
e o dorso
enquanto o espasmo se faz
num outro abraço

Desprendo a boca
depois
no grito solto

mordo-te os pulsos
ambos
no orgasmo

Volto ao de cima
da água
do meu gosto

Bebo-te a vertigem
e em seguida o hálito

Giddy

When your body is
under mine
I swim in the sea of
desire and cling to

your shoulders your hips
your back
as the shudder becomes
another embrace

I loosen my mouth
and then
with an unbridled cry

I bite your wrists
both
in orgasm

I come again on
the high tide
of my pleasure

I drink the giddy draught of you
and then your breath

Joelho

(from *Só de Amor* 1999)

Ponho um beijo
demorado
no topo do teu joelho

Desço-te a perna
arrastando
a saliva pelo meio

Onde a língua
segue o trilho
até onde vai o beijo

Não há nada
que disfarce
de ti aquilo que vejo

Em torno um mar
tão revolto
no cume o cimo do tempo

E os lençóis desalinhados
como se fossem
de vento

Volto então ao teu
joelho
entreabrindo-te as pernas

Deixando a boca
faminta
seguindo o desejo nelas

Knee

I'll place a belated
kiss
on your kneecap

I'll run down your leg
trailing
my saliva all the way

Where the tongue
follows the road
as far as the kiss goes

There's nothing
of you that's hidden
from my sight

All around a sea
so stormy
above and beyond time

And the ruffled sheets
as if they'd been
blown by the wind

So I go back to your
knee
parting your legs

Letting the famished
mouth
follow its desire

Referência

(from *Só de Amor* 1999)

Quantas vezes te digo
quantas vezes...
que és para mim
o meu homem amado?

O que chega primeiro
e só parte por vezes
antes de eu perceber
que já tinhas voltado

Quantas vezes te digo
quantas vezes...
que és para mim
o meu homem amado?

Aquele que me beija
e me possui,
me toma e me deixa
ficando a meu lado

Quantas vezes te digo
quantas vezes...
que és para mim
o meu homem amado?

Que sempre me enlouquece
e só aí percebo
como estava perdida
sem te ter encontrado

Reference Point

How many times have I told you
how many times...
what you mean to me
my beloved man?

You who come first
and only sometimes go away
before I realise
you've already returned

How many times have I told you
how many times...
what you mean to me
my beloved man?

The one who kisses me
and possesses me,
takes me and leaves me
while he stays by my side

How many times have I told you
how many times...
what you mean to me
my beloved man?

Who drives me crazy
and only then do I see
how lost I used to be
before I found you

Incêndio

(from *Só de Amor* 1999)

Tu acendes a chama
do meu corpo
pões a lenha ao fundo
em sítio seco

Procuras no desejo
o ponto certo
e convocas aí
o lume aberto

Se a madeira demora
a ganhar fogo
tomas-me as pernas
e deitas lento o vinho

Riscas os fósforos todos
e depois,
é mais um incêndio
que adivinho

On Fire

You light the fire
of my body
put the kindling right inside
in the parched place

You're searching for
the sweet spot of desire
and there you light
the naked flame

If the tinder is slow
to catch fire
you hold my legs
and languidly pour wine

You strike all your matches
and soon
it's a far fiercer blaze
than I can imagine

Auto-Retrato

(from *Inquietude* 2006)

Eu sou outra em mim mesma
e sou aquela

Sou esta
dançando sobre as lágrimas

Sou o gozo
no gosto de ser espelho
e me faz multiplicar em todo o lado

Eu sou múltipla
veneno em minha veia

Estrangeira
rasgando o seu passado

Sou cruel
dúplice e sedenta
mil vezes morri no desamparo

Eu sou esta que nego
e a outra onde me afirmo
faço nela e naquela o meu retrato

E se na história desta me confirmo
na vida da outra não me traio

Feita de ambas à beira do abismo
sou a mesma mulher nascida em Maio

Self-Portrait

Within me I am another woman
and I am this woman

I am that woman
dancing over my tears

I am joy
in the enjoyment of being a mirror
and it makes many of me everywhere

I am many-woman
poison in my veins

Stranger-woman
tearing up her past

I am cruel
duplicitous and ravenous
I died a thousand deaths of helplessness

I am the one who says no
and the other one who says yes
I create my portrait from them both

And if in the story of her I portray myself
in life I do not betray that other self

Created from both on the abyss's edge
I am that same woman born in May

Ponto de Honra

(from *Inquietude* 2006)

Desassossego a paixão
espaço aberto nos meus braços
Insubordino o amor
desobedeço e desfaço

Desacerto o meu limite
incendeio o tempo todo
Vou traçando o feminino
tomo rasgo e desatino

Contrario o meu destino
digo oposto do que ouço

Evito o que me ensinaram
invento troco disponho
Recuso ser meu avesso
matando aquilo que sonho

Salto ao eixo da quimera
saio voando no gosto

Sou bruxa
Sou feiticeira
Sou poetisa e desato

Escrevo
e cuspo na fogueira

Point of Honour

I disquiet the wildest feelings
my embrace a vast space
I fly in the face of love
disobey and dismantle

I mislay my boundaries
set fires incessantly
insist on tracing the female
seize hold tear up go wild

I stand in the way of my fate
contradict what I hear

block my ears to what they tell me
make believe replace make do
refuse to be my own mirror-image
ravaging all my dreams

I flout their rules of delusion
float off wherever I choose

I am witch
I am sorceress
I am poetess and unloosed

I write
and spit on the blaze

Português

(from *Inquietude* 2006)

Se a língua ganha
a dimensão da escrita
E a escrita toma
a dimensão do mundo

Descer é preciso até ao fundo
na busca das raízes da saliva
que na boca vão misturar tudo

Mas há ainda a pressa do papel
que no tacto navega a brusca seda
Se a sede se disfarça sob a pele
descendo pela escrita essa vereda

E já se inventa
Enlaça
Ou se insinua

Se entrelaça a roca e o bordado
que as palavras tecendo
lado a lado
querem do país a alma nua

Aí podes parar
e retornar à boca
Esse espaço de beijo e de cinzel

Onde a fala retoma a língua toda
trocando a ternura
por fel

Um lado após o outro
a dimensão está dita
O tempo a confundir qualquer abraço
entre o visto e o escrito

Portuguese

If language acquires
the dimensions of writing
And writing admits
the dimensions of the world

We must go down, search deep
for the tongue's roots, the saliva
that mingles all in the mouth

But there's still the paper's press
whose touch navigates the raw silk
If thirst disguises itself under the skin
going down that steep path by writing

And already it invents itself
Intertwines
Or insinuates itself

Interweaves the spindle and the stitch
that winding out the words
side by side
seek the country's naked soul

There you can pause
and return to the mouth
That space of kisses and bluster

Where speech reclaims all languages
exchanging endearments
for bile

One line after another
the dimensions are spoken
Time to baffle any embrace
between what's seen and what's written

Espelho e aço
Nesta fundura boa
e mar profundo

Para depois subir a pulso
O mundo

Mirror and steel
From these beneficent depths
and the deep sea

Much later it makes its own way,
The world

Poema

(from *Inquietude* 2006)

Deixo que venha
se aproxime ao de leve
pé ante pé até ao meu ouvido

Enquanto no peito o coração
estremece
e se apressa no sangue enfebrecido

Primeiro a floresta e em seguida
o bosque
mais bruma do que neve no tecido

Do poema que cresce e o papel absorve
verso a verso primeiro
em cada desabrigo

Toca então a torpeza e agacha-se
sagaz
um lobo faminto e recolhido

Ele trepa de manso e logo tão voraz
que da luz é a noz
e depois o ruído

Toma ágil o caminho
e em seguida o atalho
corre em alcateia ou fugindo sozinho

Na calada da noite desloca-se e traz
consigo o luar
com vestido de arminho

Sinto-o quando chega no arrepio
da pele, na vertigem selada
do pulso recolhido

Poem

I let him come.
He sneaks on tiptoe
right up to my ear;

under its ribs my heart
quivers, quickens
as the excitement mounts:

first the forest appears,
then the woodland-sequel,
more mist than snow to the touch –

from the new poem's
very first line the paper sucks up
every waif-word

and an ugliness steals in,
a cunning hungry thing
crouching there incognito,

pretending to be tame and yet so wolfish
that he's the kernel of light
and then the noise of its cracking;

he's lithe on the path,
doubling back on himself,
running with the pack, loping alone;

pussy-footing through the night
he trails moonlight behind him
like a mink coat.

I feel him when the hairs on my skin
lift, and in the delicious dizziness
of my private pulse –

À medida que escrevo
e o entorno no sonho
o dispo sem pressa e o deito comigo

in the midst of my writing, in my dream-life,
I slip all his clothes slowly off
and slide him down beside me.

Canto da Ressurreição

(from *Feitiçeiras* 2006)

Vinda de onde sou
Eu torno sempre

Parida

De minha própria
afeição
Derrubo o escuro
renascida

Sou fénix do meu mênstruo

Orquídea da minha
vida

Sou mulher
Sou feiticeira
Sou bruxa

No meu abraço

Desobedeço e invento
Insubordino o que faço

Song of the Resurrection

Coming from wherever I am
I'm forever becoming

Birthed

From my own
devotion
Born again
I overthrow the dark

I am the phoenix of my period

Orchid of my
life

I am woman
I am crone
I am witch

In my embrace

I disobey and devise
I undo what I do

Ária da Feiticeira

(from *Feitiçeiras* 2006)

Ó cereja carmim
amora
da minha carne

Desata-me as mãos
do estame
dá-me tudo o que não arde

Ó doce torpor ruim
licor da minha
boca

Doçura áspera
que apouca
ora de pérolas ora loura

Ora alba no orvalho
ora ruiva
e depois louca.

Vem tempestade
vem luz
de alumiar o destino

E os negrumes estilhaçados
os demónios, os diabos
soltos pelos caminhos

Descruza os nós do meu sangue
e dá-me a bruma
do linho

Ó rosa do meu
mênstruo
onde perdeste teus espinhos?

The Witch's Aria

O crimson fruit
mulberry
of my flesh

Free my hands
from the twine
give me everything that's not burning

O sweet vicious lethargy
liquor of my
mouth

A spiky sweetness
that diminishes
now pearl-like now fair

Now dawn in the dew-hour
now russet
and then raving

Come storm
come lightning
to illumine the future

And the shattered blackness
the demons, the devils
let loose on the roads

Unknit the knots of my blood
and give me the clouds
of cloth

O rose of my
menstruation
where did you lose your thorns?

Feitiço

(from *Feitiçeiras* 2006)

Te evoco Belzebu pelas cinco chagas de Cristo
poderes do negro que visto
rastejando pelo chão por entre moitas e xisto
por entre rosas e riso por entre o incenso e o mijo

Que de nós nem dó nem grito!

Te convoco Belzebu tecendo as trevas onde estou
debruçada na maldade se quem pecar já caiu
nas urzes deste caminho. Zut! Morcego malvado
Zut! Menina embruxada que banha os seios na alva

Quebranto deste torpor. Maleita deste feitiço!

Te invoco Belzebu na quebradura do risco
da chama que me queimou. Sus! Para cá bicho preto
que róis a alma por dentro. Ata os nós que desataste
no corpo do pensamento. Sobre ti debruço o vento.

Daninho lenho cuspido. Inferno deste tormento!

Te avoco Belzebu na fervedura das ervas.
Vem negrume vergastado! Vem coisa ruim!
Dá-me o poder desamado destinado para mim.

Hex

I beseech you, Beelzebub, by the five wounds of Christ,
powers of darkness that clothe me,
crawling on the ground between shrub and stone,
between roses and laughter, between frankincense and piss –

Because there is neither pity or howl!

I summon you, Beelzebub, weaving the night where I
am bent on wrongdoing, if a sinner has already fallen
in the heather along this path. Ha, evil creature!
Ha, witchy girl wallowing her breasts in the early morning!

I break out of this daze – a curse on this curse!

I invoke you, Beelzebub, to quell the force
of the flame that burned me. Hoy, here black beast
that gnaws at the soul from within – tie the knots
that you loosed in the body of thought! I hurl the wind at you.

Hateful timber that spits! To hell with this torture!

I salute you, Beelzebub, in the boiling of herbs.
Come bruised shadow! Come ruined thing!
Give me the unloved power destined to be mine.

Mata Atlântica

(from *Poemas do Brasil* 2009)

Entre paineiras, pinheiros
jatobás e eucaliptos
eu sigo a Serra do Mar

Vou atrás dos próprios
passos
procurando o sobressalto

E mais longe os seus
indícios
os murmúrios, os refúgios

Os cumes e os baixios
palmeiras e araucárias
coqueiros, odores despertos

Por entre o sal das águas
a sombra no seu sinal
e o sol no mato incerto

E se entro no bosque-tigre
que o oceano cativa
no frondoso e no deserto

Conquisto o dorso da praia
procuro o espaço profundo
invento a Mata Atlântica

Perco-me no fim do mundo

Atlantic Forest

Between the kapoks, pines
locust trees and eucalyptus
I follow the Serra do Mar

I'm stalking my own
footsteps
in search of the bolt from the blue

And further off
its spoors
murmurs, hideaways

The crests and shallows
palm trees and araucarias
coconuts, wide-awake aromas

Between the salt of the surf
the shadow on its wake
and the sun in the hesitant rainforest

And if I go into the cougar-grove
that the ocean holds in thrall
into the leafy places and wastelands

I conquer the col of the shore
I hunt for the deep space
I discover the Atlantic Forest

I lose myself at the end of the world

Faces do Poema em Ubatuba

(from *Poemas do Brasil* 2009)

As três faces do poema
cada lado ombro e sombra
a escorregar no deslize

Numa perde-as
o lince

Na outra esconde-se
a onça

E a menina de tocaia
sentada sobre o seu verso
no reverso da palavra

Devagar
levanta a saia

Faces of The Poem in Ubatuba

The three faces of the poem
each side both shoulder and shadow
skidding on the slipperiness

the ocelot
mislays one of them

the jaguar
hides itself in another

And the trapper-girl
perched on her lines
on the underside of the word

Slowly
lifts her skirt

Gerações Femininas

(from *Poemas para Leonor* 2012)

Pelos sangues
eu misturo-a
comigo e a minha mãe

Pelas palavras
confundo-a
indo até além do verso

E nesse espaço
de ondura
procuro-a nos meus poemas

E nos dela
se me encontro
é numa mesma aventura

Da escrita em seu sustento
a desfolhar a razão
perseguindo o sentimento

Entre a entrega
e o tempo
o excesso e o pensamento

Generations of Women

Through blood-lines
I bind her
to myself and my mother

Through words
I stir her
into the work beyond verse

And in the reaches
of the deep
I seek her within my poems

And if in hers
I manifest myself
it is the same quest

Writing is a way of being
a peeling away of reason
to follow the feeling

Between the outcome
and the instant
is the outburst, the insight

Trabalho Poético

(from *Poemas para Leonor* 2012)

Como foi possível
separares as palavras
do coração das palavras?

O júbilo do perdimento

A sombra de ser negrume
O corpo do luzimento?

The Poet's Task

How was it possible
for you to part the words
from the words' heart?

This utter joy of lostness

This incognito of night
This body of luminosity?

Poesia

(from *Poemas para Leonor* 2012)

Cada palavra era para ti
um torvelinho
onde mergulhando inventavas

Um espinho
Uma desgraça
Um desatino

Mas sempre depois
tomavas o caminho
partias em busca

Regressavas

Pelas encruzilhadas
do destino

Poetry

Every word was for you
a whirlpool
to plunge into and come up with

A pricked finger
A fall from grace
A form of madness

Yet afterwards you'd
always walk the path
follow the scent

Then make your way back

To where roads met and ended
in the self's quest

Desejo

(from *A Dama e o Unicórnio* 2013)

Chega à clareira a retardar
o passo como quem sabe
de um rumor impossível

Abismo ou amado
tanto lhe parece
e como o cavaleiro

Ela parte à conquista

Mas se à sua volta
o bosque ensombrece
logo depois ele toma vida

A Dama estremece
temendo a verdade
mulher sedutora logo seduzida

E ao longo do corpo
o desejo desliza
num doce enleio com laço de fita

Desire

Arrival at a clearing, slowing
the step like one who believes
an impossible tale

Abysmal or adored
both he seemed to her
and like a knight

She sets off in search of conquest

But if around her
the wood darkens
soon afterwards it will come to life

The Lady shudders
fearing the truth
seductive woman soon seduced

And desire slithers
down the length of her body
in a sweet snare tied with a bow

A Espera

(from *A Dama e o Unicórnio* 2013)

Dentro da mata
o Unicórnio aguarda

Da matéria do poema
ele é feito de símbolos

Do luar a palidez
do seu pêlo alvo

Crina de seda
e patas de vidro

Exala o seu hálito
um odor de murta

Aparentando quem sabe
um canto insustido

E quando ele julga
que as árvores arrulham

São as vozes as vozes
a falar-lhe ao ouvido

Na terra pode ser
a Estrela Polar

Sabe curar poetas
esvaídos

Escuta as paixões
as dores seculares

Os ódios mortais
e os amores malditos

Expectancy

Within the wood
the Unicorn waits

From the poem's matter
he's made of symbols

From moonlight the pallor
of his white fur

Mane of silk
and hooves of glass

His breath exhales
the scent of myrtle

Having perhaps the air
of an insistent song

And when he supposes
that the trees are cooing

There are voices, voices
uttering in his ear

On earth he could be
the Pole Star

He knows how to heal poets
of their jadedness

He listens to their passions
their worldly pains

Their lethal hatreds
and their unhallowed loves

A Mão

(from A Dama e o Unicórnio 2013)

Pousa a mão
no chifre do Unicórnio

Descendo
os dedos em torno

Como
se fosse...

A boca
do poço

A boca da face
A boca do corpo

The Hand

She puts her hand
on the Unicorn's horn

Sinking
her fingers round it

As if
it were…

The mouth
of the well

The mouth of the face
The mouth of the body

Delito

(from *A Dama e o Unicórnio* 2013)

Tangível...
Tangível! – pensa a Dama
no sobressalto
do pensamento revolvido

Na palma da sua mão
fechada
o chifre do Unicórnio

Tem o poder do delito

Trespass

Touchable…
Touchable! – thinks the Lady
in the head-over-heels
of her cartwheeling thought

The Unicorn's horn
tight
in the palm of her hand

She holds the power of trespass

Maria

(from *Anunciações* 2016)

Debruçada em si mesma
no início do seu dia
Maria estava tão longe

que em si mesma se perdia

Cabelos de cor sombria
o olhar arrebatado
onde o azul tomava

o tumulto do cobalto

Inquieta e arredia
de estranheza sem saudade
de si mesma nada sabe

Mary

Leaning into herself
at the break of her day
Mary stood there so long

she was lost in herself

Her hair the shade of twilight
her gaze of rapture
from where azure snatched

the riot of cobalt

Restless and remote
with strangeness lacking all *saudade*
she knows nothing of herself

Gabriel

(from *Anunciações* 2016)

Quando pousa
resvalando no chão as plantas
brancas e geladas dos pés
de voar

apenas se ouve
o fremir das suas asas
de bruma

Inclinada num livro
Maria mal ergue as pálpebras
de veludo

Mas ao folhear as páginas
no ardor do uso, estremecem
na pressa os seus dedos
de fuso

Gabriel

When he alights
gliding over the earth
the white and icy soles of his feet
                              of flight

hardly to be heard is
the trembling of his wings
                              of mist

Bent over her book
Mary imperceptibly lifts her eyelids
                              of velvet

But at the flutter of pages
in the fever of work, her fingers
fumble in the hurry-scurry
                              of her spindle

Dança

(from *Anunciações* 2016)

É como se nós os dois
dançássemos
o perdimento

Tu de rojo a meus pés
e eu erguida num ímpeto
a tentar turbar o tempo

As minhas mãos
a suster
e as tuas a empurrar

num mesmo gesto sedento

A entrega e a recusa
o corpo e o pensamento

Dance

It is as if the two of us
were dancing
the loss

You kneeling at my feet
and I upright in the effort
of trying to unsettle time

My hands
for holding
and yours for pushing away

in the self-same gesture

Surrender and rebuff
the body and the mind

A Diferença

(from *Anunciações* 2016)

Porque te entregas
meu anjo
ao punhal da dúvida

que sempre conduz
à dor mais turva
no caminho que leva

à escuridade?

A fazer-te temer nossos
encontros, a quereres
negar o meu abraço

O que interessa
afinal nossa diferença:

ser eu mulher
da condição da Terra

e arcanjo tu
da condição do espaço?

Meu amor com luz de enlaço

The Difference

Why are you giving yourself up
my angel
to the stab of doubt

that always points
towards the obscurer pain
on the path that leads

to darkness?

To make you afraid
of our meetings, make you want
to deny my embrace

What does it matter
in the end, our difference:

that I am a woman
whose nature is earthly

and archangel you
whose nature is space?

My love with a binding of light

Condição Humana

(from *Anunciações* 2016)

Não há clausura no meu ventre
onde cresces
descendente de um anjo

que te anunciou
sem te saber dele próprio

Claridade maior – afirmo
apesar de não haver nenhum equilíbrio
entre os astros e a condição terrena

numa intensa, desmesurada
e longínqua sarça ardente

Acreditarás ser filho de um deus
maior, mas em ti habitará aquele
que dominará o poder da palavra

Partilharás com o ser humano
a sua iníqua condição transitória
de paixão e desgraça que erra

Finisterra!

The Human Condition

There is no cloister in my belly
where you grow
descendant of an angel

who announced you
without knowing you as his own

To make it clearer – I declare
despite there being no point of balance
between the stars and the earthly state

in an exquisite, excessive
and far-distant burning bush

You will believe you are the son of a greater
god, yet in you will dwell that which
shall overcome the power of the word

You will share in the human condition
its fallen transient nature
of passion and disgrace that goes astray

Finisterra!

O Voo da Linguagem

(from *Poesis* 2017)

Ser poeta é correr riscos
trazer consigo a vassoura
de voar a linguagem

a paixão, a liberdade

As asas são seu
ofício
onde resguarda a saudade

The Flight of Language

To be a poet is to court danger
is to bring a broom and soar
the language into open air

its anger, ardour, freedom

The wings are hers
her calling
to serve and guard *saudade*

No Rasto do Tempo

(from *Poesis* 2017)

Sigo no rasto do tempo
com a pena embainhada
e o silêncio à minha ilharga

esteira de brilho sedento
a estontear-me com a vida
amordaçada em seguida
com a sombra da ventania

Mas eu fujo e desço a escada
deslizo no corrimão
voo e corro à desfilada
nos versos e estendo a mão

abro a porta da poesia
e parto na fuga alada
sou mulher da alquimia
no transformar da palavra

On the Track of Time

I follow the track of time
with my pen sheathed
and silence at my side

a wake of avid radiance
amazing me with life
that's later stifled
by the shadow of the gale

Yet I escape, descend the stairway
slide down the balustrade
fly and run wild through
my lines and reach out my hand

I'm opening the door of poetry
and taking off on feathered flight
I am alchemist-woman
self-transfigured by the word

Caçadora

(from *Poesis* 2017)

Quando te esquivas
persigo
vou à caça

farejo quando te sigo
corro com as feras na mata
e na floresta eu arrisco

quando te escondes
insisto
tomo o gosto da montada

Sou caçadora e poeta
danço com as bruxas e acendo
a fogueira sobre a água

quando perdes a palavra
trepo os montes que eu invento
sou sereia destes mares

num oceano sem tempo

Huntress

When you shy away
I pursue
I go hunting

I'm following your scent
I run like the beasts in the thicket
and in the forest I take my chance

when you go into hiding
I press onwards
I get a taste for the mountain-slope

I'm huntress and poet-woman
I dance with the witches and light
the bonfire on the water

when you're lost for words
I climb the mountains of my devising
I'm mermaid of these deeps

in an ocean outwith time

Um Recomeço Sem Fim

(from *Estranhezas* 2018)

Quando acordo de manhã
e te olho adormecido
de beleza vulnerável

eu sei que não consigo
tirar de ti o olhar
o sentido e os sentidos

coração desabalado
num
recomeço sem fim

Todos os dias
desperto
e me apaixono por ti

Beginning Without End

When I wake in the morning
and watch you asleep
in your unguarded beauty

I know I cannot make myself
take my eyes off you
the feeling and the feelings

headlong heart
in a
beginning without end

Every day
I awake
and fall in love with you

Vitória de Samotrácia

(from *Estranhezas* 2018)

Subia as escadarias do Louvre
e de súbito vi-te
com as tuas asas abertas

lá em cima…

Como um belíssimo anjo
degolado
na sua veste feminina

Vitória de Samotrácia!
– Soube, aturdida
com a tua estranheza

E sentei-me nos degraus
de mármore
a chorar de beleza

The Victory of Samothrace

I was climbing the stairs of the Louvre
and suddenly I saw you
with your wings outspread

there at the top...

Like a handsome angel
decapitated
in his woman's clothes

Victory of Samothrace!
– I knew, dumbfounded
by your otherness

And I sat down on the steps
of marble
weeping at beauty

A Bela e o Monstro

(from *Estranhezas* 2018)

– Queres vir jogar comigo?
Pergunta
o Monstro à Bela

levando-a a brincar
ao longo
                da infância

fingindo inventar
um mito novo, por entre
cristais, estrelas e lembranças

– Queres vir dançar comigo?
Pergunta
o Monstro à Bela

a enlaçá-la devagar
pela
                cintura

conduzindo-a na vertigem
a valsar
fazendo-a rodar ao som da lua

– Queres vir gozar comigo?
Pergunta
o Monstro à Bela

derrubando-a na pressa
                sobre a cama

tirando-a do sonho
a inventar, o seu maior
prazer, num mar de chamas

Beauty and the Beast

– Would you like to come and play with me?
the Beast
asked Beauty

taking her away to frolic
for the whole
            of her childhood

pretending to concoct
a new myth, between
crystals, stars and memories

– Would you like to come and dance with me?
the Beast
asked Beauty

twining himself slowly
around
            her waist

transporting her in the dizziness
of a waltz
making her spin at the sound of the moon

– Would you like to come and have fun with me?
the Beast
asked Beauty

pulling her down in a flurry
            on the bed

dragging her out of her dream
to devise his greater
pleasure on a sea of flame

– Queres vir amar comigo?
Pergunta
o Monstro à Bela

as mãos voando
na asa
        a tropeçar

entre o perigo, a volúpia
e os sentidos, querendo
ser amado muito mais que amar

– Queres vir consolar-me?
Pergunta
o Monstro à Bela

encolhido no fundo
do seu
        espanto

sem saber o que fazer
com ela, pronto a abandoná-la
no seu próprio pranto

– Would you like to come and love me?
the Beast
asked Beauty

his hands flying about
on the wing
            confounding her

between danger, lust
and affection, wanting
to be loved much more than to love

– Would you like to come and comfort me?
the Beast
asked Beauty

cowering in the depths
of his
            dread

without knowing what to do
with her, getting ready to leave her
to her own weeping

Se Fosse Shakespeare

(from *Estranhezas* 2018)

I

Se fosse Shakespeare
escrevia a vida do avesso
vivia a escrita ao contrário
via o sorriso perdido

pelo seu lado mais espesso
no interior do atalho
atalhando a vida incerta

e na sua encruzilhada
habitava o que escrevia
de amor armadilhado

voltava atrás pela mata
de rosas apunhaladas
num travo de malvasia

Atravessava o Egipto
a acreditar no que via
dando o dito por não dito

para em seguida
ir buscar os sinais
que laceravam

as espadas e os punhais
os venenos e os filtros
a pretender debruçar-me

a querer fitar nos olhos
cruéis
os amantes interditos

If I Were Shakespeare

I

If I were Shakespeare
I'd write life inside out
I'd live writing contrariwise
I'd espy the lost smile

by its crueller aspect
in the byway that
bypasses the uncertain life

and at the fork in the road
I'd live what I'd written
about love in-a-fix

I'd go back through the wood
of wounded roses
with an after-taste of Malmsey

I'd make my way across Egypt
in order to believe my own eyes
taking back what I'd said

and soon afterwards
going in search of the signs
that were savaging

the swords and poniards
the poisons and potions
seeking to deal with me

wanting to gaze into the cruel
eyes
the lovers who were banned

assassinados, malditos

com o seu olhar mui triste
num desespero inquinado
de queda no precipício

II

Se fosse Shakespeare
vivia pelo contrário
habitando só a escrita
do final para o início

inventando crueldades
desamadas e equívocas
mapas astrais, e escrevia

diários de bordo e rendas
em bolsos envenenados
onde guardava os poemas

perdidos no próprio
enredo
com segredos ancestrais

e demorados sequestros

Ia atrás de Julieta
para saber do seu lume
e fingia ser Romeu

deitava-me com
Otelo
para castrar-lhe o ciúme

preferia Heitor a Páris
enquanto Helena passava

murdered, cursed

with their so-sad look
in dread despair
of falling off the cliff

II

If I were Shakespeare
I'd live contrariwise
dwelling only in writing
from end to beginning

inventing hateful
atrocities and apocryphal
astral maps, and I'd write

of log-books and lace hankies
in poisoned pockets
where I'd keep my poems

lost in their own
tangled web
of ancestral secrets

and drawn-out sequestrations

I'd walk behind Juliet
to get to know her light
and pretend to be Romeo

I'd lie down beside
Othello
to cut the balls off his jealousy

I'd favour Hector over Paris
while Helen slipped by

como um delgado cometa
a enredar-se na queda
em perdição desatada
de peregrina assustada

III

Se fosse Shakespeare
invertia e rasurava
fazia vidro da névoa
e do corpo barca de alva

voltava em tudo
ao começo
e mesmo esse mudava

revia os tempos da vida
e compunha do avesso
a viver o que escrevia

Entregava-me e perdia-me
no resguardo da palavra
a recriar o que eu queria

E só então eu amava

like a slender comet
to embroil herself in the fall
in the unbridled ruin
of a terrified pilgrim

III

If I were Shakespeare
I'd invert and erase
I'd make clear glass out of mist
and a limpid boat from the body

I'd go back to it all
right from the start
and I'd change even this

I'd look again at life's seasons
and I'd compose back-to-front
to live what I'd written

I'd surrender myself and get lost
in the protection of the word
to re-create what I desired

And only then would I love

Translator's notes on the translations

'Saudade', pages 39, 45, 53, 149, 205, 215

The Portuguese word 'saudade' is impossible to translate
into a single English word, encompassing as it does deep feelings
of 'heartache', 'homesickness' or – most poignantly – 'the presence
of an absence'.

'Saudade' often carries cultural as well as personal significance:
the word was already an important concept in Galician-Portuguese
lyric in the Middle Ages, particularly in the *cantigas de amigo*. These
female-voiced compositions are central to Maria Teresa's own poetry:
we can see this particularly throughout her book *Minha Senhora
de Mim*.

So Maria Teresa Horta and I have decided to let the word– with
all its many and complex meanings– stay untranslated, in the hope
that readers will catch its bitter-sweet associations through the
poetry itself.

'Minha Senhora de Mim', page 86

The poem 'Minha Senhora de Mim', first published in 1971, is central
to an understanding of Horta's poetic, and it continues to be
something of a rallying cry for female Lusophone writers: Ana Luísa
Amaral, for example, has paid explicit homage to it in her collection
of poems, *Minha Senhora de Quê*. So, readers may like to have a little
contextual background to the poem.

The phrase 'Comigo me desavim', with which Horta's poem opens,
is a direct quote from the poem of that title ['Comiguo me desavym'
in the original] by the Renaissance male poet Francisco de Sá de
Miranda. Horta's poem from the outset therefore announces a female
riposte to the traditional male poetic canon. Sá de Miranda's original
poem proclaims that the poet can neither live with himself nor
escape from himself – it is a *locus classicus* of self-alienation.
However, Horta is also writing here a form of 'cantiga de amigo' –

a specific genre of mediaeval Portuguese-Galician love poetry that was composed in a female 'voice' (though in fact all the poems were written by male poets). Horta is thus asserting the right to be heard and understood in her own authentic woman's voice – even whilst articulating a strongly felt distance between herself as an autonomous poet and herself as a young woman brought up within the confining feminine conventions of the 1950s and 60s in Portugal.

'Cantar de Uma Mulher Assassinada Enquanto Dormia', page 106

The poem is accompanied by a news-cutting from *Diário Popular*, 28 April 1977:

Matou a mulher à machadada por ciúmes infundados

O motorista Manuel Pinto de Oliveira, de 31 anos, emigrado em França, matou sua mulher, Perpétua Fernanda de Oliveira, de 29 anos (...) vibrando-lhe três machadadas no pescoço. Os golpes foram de tal modo violentos que o pescoço da infeliz mulher ficou apenas preso por simples peles.

O tresloucado terá vindo a Portugal para cometer o horrendo crime (...) O criminoso, segundo afirmações que terá produzido, foi levado por ciúmes.

O caso suscitou a mais viva repulsa naquela localidade, tanto mais que, segundo testemunhos de populares de Fermentelos, a infeliz mulher era considerada pessoa honesta e trabalhadora. Tudo indica que o crime terá sido cometido enquanto a vítima dormia.

Um dos filhos do casal, apenas com oito meses, apresentava sangue numa das faces, o que deixa presumir que na altura estivesse também a dormir junto da mãe (...)'

'Axe-murderer wrongly suspected wife of being unfaithful

Thirty-one-year-old motorist Manuel Pinto de Oliveira, who had moved to France, murdered his 29-year-old wife Perpétua

Fernando de Oliveira (…) by wounding her three times in the neck. He hacked at her so violently that the poor woman's head was left hanging by a few shreds of skin.

The demented man must have come back to Portugal to commit his horrific crime (…) According to his own statement, the accused was possessed by jealousy.

The case caused deep revulsion in the community, particularly since – according to everyone in Fermentelos – the unfortunate woman had a reputation for being upright and hardworking. All the indications are that the crime was committed while the victim was asleep.

One of the couple's children, just eight months old, was found with blood on his cheek, which suggests he was sleeping next to his mother at the time she was killed (…)'

Translator's note on 'Catarina Eufémia', page 112

Catarina Eufémia (1928–1954) was an illiterate farm-worker in the province of Alentejo, who became involved in the anti-Salazar resistance movement. During an unofficial strike organised by a handful of low-paid female agricultural labourers demanding 'work and bread', she was shot in the back three times at point-blank range by an officer of the National Republican Guard. She died a few minutes later in the arms of the farmer for whom she had been working. One of her sons, a young child, was injured in the scuffle. Catarina Eufémia became an icon of the resistance and many writers dedicated poems to her memory, including Sophia de Mello Breyner.

Translator's note on 'medronho, page 121

Medronho is a kind of brandy made from the fruit of the medronho tree (arbutus unedo), an evergreen shrub that grows wild on the poor soil of rural Portugal such as the inner Algarve. The fruit is collected by hand and the spirit is made in small local distilleries; it is often flavoured with mountain herbs and typically has a high alcohol content.

Translator's note on 'Ponto de Honra', page 170

Horta's gambit of responding to male poets is nowehere bolder than with her collection *Inquietude*, published in 2006, whose title echoes the meaning of *Livro do Desassossego*, the classic work of Bernardo Soares/Fernando Pessoa, perhaps the most famous Portuguese male writer. Moreover, Horta's poem 'Point of Honour' in *Inquietude* begins with the very word 'Desassossego...'

Two Rivers Press has been publishing in and about Reading since 1994. Founded by the artist Peter Hay (1951–2003), the press continues to delight readers, local and further afield, with its varied list of individually designed, thought-provoking books.